10654689

MADEMOISELLE BAMBÙ

Pierre Mac Orlan est né en 1882 à Péronne. Désireux de devenir peintre, il vient à Paris en 1900. Mais le manque de moyens financiers l'oblige à abandonner Montmartre pour exercer divers métiers plus ou moins bien rémunérés qui le conduisent à Rouen, à Palerme, à Naples, à Florence, puis en Belgique au bord de la mer du Nord dont les brumes hanteront son œuvre. En 1912, il fait ses premières armes d'écrivain avec des contes humoristiques qui paraissent dans Le Journal.

Après la guerre, où il sert dans l'infanterie, Pierre Mac Orlan commence une carrière de romancier et de poète en même temps que de journaliste (grands reportages en Europe et en Afrique du Nord).

Esprit curieux, attiré par ce qu'il appelle « le fantastique social », Pierre Mac Orlan est membre de l'Académie Goncourt.

Avec tout ce qu'évoquent d'inconnu et de mystérieux les navires venus des mers lointaines s'ancrer à l'abri de ses quais, il n'y a rien de plus poétique qu'un port, surtout une fois la nuit tombée. Ses rues et ses ruelles s'animent d'une faune étrange descendue des vaisseaux ou sortie de ses bouges — monde à part, en marge et comme surnaturel pour qui a un peu de ce pouvoir magique qu'on nomme imagination. Un soir qu'il pleut sur Hambourg, le capitaine Hartmann se prend à égrener le souvenir des gens qu'il a connus, aimés, combattus même. Car Hartmann, homme d'aventures, s'est trouvé plongé dans la vie curieuse à double et triple face qui est le lot des espions. Ainsi a-t-il eu affaire au redoutable Père Barbançon, ainsi a-t-il pu regretter jusqu'à l'heure des tempes grises la gracieuse signorina Bambù. Ont-ils existé, ces gens du « peuple de la nuit »? Bien sûr, mais d'une autre manière, dira-t-on au confident du capitaine. Et qui sont-ils, ces deux-là, sinon peut-être Mac Orlan lui-même qui se souvient de sa jeunesse dans ces récits où le réel côtoie l'imaginaire.

ŒUVRES DE PIERRE MAC ORLAN

nrf

LE NÈGRE LÉONARD ET MAITRE JEAN MULLIN
LA CAVALIÈRE ELSA
LA VÉNUS INTERNATIONALE
SIMONE DE MONTMARTRE
LES JEUX DU DEMI-JOUR
A BORD DE L' « ETOILE MATUTINE »
LE CHANT DE L'EQUIPAGE
LE QUAI DES BRUMES
VILLES
LE PRINTEMPS
GERMAINE KRULL
LA BANDERA
RUES SECRÈTES
QUARTIER RÉSERVÉ
LE CAMP DOMINEAU
MASQUES SUR MESURE
LE BAL DU PONT DU NORD, *suivi de* ENTRE DEUX JOURS
FILLES, PORTS D'EUROPE ET PÈRE BARBANÇON
SOUS LA LUMIÈRE FROIDE
LA CLIQUE DU CAFÉ BREBIS,
suivi du PETIT MANUEL DU PARFAIT AVENTURIER
LES DÉS PIPÉS OU LES AVENTURES DE MISS FANNY HILL
CHANSONS POUR ACCORDÉON
DINAH MIAMI
LA LANTERNE SOURDE
LE MÉMORIAL DU PETIT JOUR
POÉSIES DOCUMENTAIRES COMPLÈTES
LA TRADITION DE MINUIT
MALICE, LES JOURS DÉSESPÉRÉS, LES SOLDATS, LES VOISINS
LA PETITE CLOCHE DE SORBONNE
LE RIRE JAUNE *suivi de* LA BÊTE CONQUÉRANTE
MÉMOIRES EN CHANSONS

Chez d'autres éditeurs :

L'ANCRE DE MISÉRICORDE *(Emile-Paul)*
PICARDIE *(Emile-Paul)*
MARGUERITE DE LA NUIT *(B. Grasset)*

Parus dans Le Livre de Poche :

LE QUAI DES BRUMES
LA BANDERA
MARGUERITE DE LA NUIT
A BORD DE L' « ETOILE MATUTINE »
LE CHANT DE L'ÉQUIPAGE

PIERRE MAC ORLAN

DE L'ACADÉMIE GONCOURT

Mademoiselle Bambù

(Filles et ports d'Europe - Père Barbançon)

ÉDITION COMPLÈTE ET DÉFINITIVE

GALLIMARD

FILLES ET PORTS D'EUROPE

... Voici les paroles du chant (et le chœur s'efforçait d'imiter de son mieux le rire spécial de *Crapaud-dans-son-trou*) :

« Et interrogatus est a Crapaud-dans-son-trou : Ubi est ille reporter?

— Et responsum est cum cachinno : Non est inventus.

(En chœur)

— Deinde iteratum est ab omnibus, cum cachinnatione undulante, trepidante : Non est inventus. »

THOMAS DE QUINCEY.
(Du meurtre considéré comme un des beaux-arts.)

PRÉFACE

En relisant ce livre pour une nouvelle édition, j'ai acquis la certitude que son titre n'était pas bon et ne pouvait guère le protéger.

Filles et Ports d'Europe ne correspond point au destin de mes personnages dont certains ne sont que des villes, parfois des morceaux de villes qui, au moment où j'écris ces lignes, n'existent plus. En songeant longuement à Mlle Bambù et à M. Hartmann, je suis entré moi-même dans la nasse pour me retrouver parmi des hommes, des femmes et des rues qui, pris séparément, ne sont que des sommes d'individus et de paysages. Ces totaux d'additions où les éléments de la mélancolie pittoresque sont abondants devaient créer des garçons et des filles comme Bambù et Hartmann. Mlle Bambù est une somme d'expériences et de visages, son complice également. J'ai trouvé des morceaux d'Hartmann et de Bambù à Marseille, à Rouen, à Londres, à Barcelone, à Tanger, à Gibraltar, à Hambourg et à Brest.

Il n'y a que du mauvais dans Bambù, mais il y a du bon dans Hartmann dont le visage m'apparaît encore sous les traits d'un aventurier d'origine hollandaise que j'ai connu à Rouen vers 1901. On l'appelait Star. Cet homme m'influença littérairement. Nous sommes encore quelques-uns à nous souvenir de lui

comme il était quand nous le retrouvions le soir dans
la rue des Charrettes, vêtu d'alpaga en hiver et
chaussé d'espadrilles silencieuses.

C'est en suivant ce personnage, un peu déformé et
assagi par les jeux de la lumière romanesque, que je
l'ai, cependant, conduit jusqu'à la dernière souricière
où, affaibli par la qualité de ses propres dons et de
ses souvenirs, il « s'entôle » dans un cabaret marin.
Car le jeune homme qui boit avec lui n'est sans doute
que la très exacte image de ses vingt ans.

La mort de Bambù, celle d'Hartmann ne sont que
des détails dans une mort infiniment plus grandiose.
Pour avoir répondu : « C'est fini maintenant », à
la confession du vieil aventurier, je ne croyais pas si
bien dire. Il ne reste plus rien des lieux où j'ai rencontré, quand j'étais jeune, les « signorina Bambù »,
les Star et les Hartmann venus du Rydeack.

Il ne reste plus rien de Limehouse Causeway, plus
rien de Hambourg, plus rien de Rouen quand j'absor-
bais les éléments de ce récit romanesque. Je recher-
cherais vainement les traces de Bambù dans les ruelles
du Vieux-Port; et la rue de Siam n'est plus où Elisa ver-
sait à boire aux équipages des remorqueurs de Haute Mer.
Peut-être pourrais-je retrouver la piste du capitaine sur
les ramblas de Barcelone ou sur le Paralelo. Je n'éprouve
plus de telles curiosités. Le vieux rat de mon livre
s'est fait prendre dans la dernière souricière tendue
sur l'appât d'un pittoresque qui n'existe plus : c'est
un fait.

Pierre Mac Orlan.

I

RENCONTRE

C'est donc dans le grand hall d'un hôtel fameux de la Jùngfernstieg, devant le paysage luxueux offert par l'Alster, que je fis la rencontre de celui que je ne connus que sous le nom un peu lourd de Capitaine Hartmann.

C'était un homme d'apparences cossues, âgé, peut-être, de plus de soixante ans. Il était vêtu d'un complet gris clair d'étoffe souple et douce comme tous les hommes les aiment, un complet coûteux, inusable, qu'il faut abandonner presque neuf à cause des variations de la mode, qui ne se remarquent bien que dans l'âge mûr. Les jeunes gens sont toujours habillés à la mode, tout au moins ils en offrent l'apparence. Et comme la vie n'est qu'une suite d'apparences, elle comporte des merveilles bien autrement séduisantes que celle-là.

Capitaine Hartmann et moi étions faits pour nous rencontrer. Nous bûmes un vague mélange prétentieux dans le fumoir. Nous nous retrouvâmes chez le coiffeur de l'hôtel puis au grill-room. Capitaine Hartmann habitait une chambre voisine de la mienne dans le même couloir où d'élégantes femmes de

chambre transportaient sournoisement des éléments
érotiques de tout premier ordre.

Capitaine Hartmann était un Nordique dont je ne
pus jamais préciser la vraie nationalité. Son visage
glabre, couleur de pain d'épice, rappelait bien des
visages de businessmen connus et popularisés par
l'image. Il semblait né d'un film allemand et d'une
chanson des rues légèrement inquiétante. Pour résu-
mer, il offrait l'incontestable image d'un homme riche,
celle d'un soldat colonial enrichi; peut-être, plus simplement celle d'un forçat enrichi dans les pays limi-
trophes d'un bagne sud-américain. Nous ne fûmes vraiment à l'aise qu'au bout de quinze jours. Des
relations communes firent progresser nos relations.
Alors nous pûmes nous promener tous deux dans le
brouillard et les lumières de la Reeperbahn. Le Capitaine m'initia à la vie nocturne de Hambourg qui
est très belle, très mystérieuse, très dangereuse et, si
l'on possède l'exercice de l'imagination, tout à fait
surnaturelle. Nous vivions beaucoup, de préférence
la nuit. Nous aimions la nuit qui nous apparaissait comme le décor le plus profondément sincère
d'une Europe sans direction, ou, ce que nous n'osions
croire, plus coquine qu'il n'est permis.

Nous fréquentions un petit restaurant médiocre dans
la Schmùckstrasse : un petit restaurant bien classique
dont les clients paraissaient appartenir à toutes les
classes de la société où l'activité humaine est clandestine.

Capitaine Hartmann goûtait la nuit en connaisseur.
Il était intarissable sur ce sujet qui ne me déplaisait
point, je l'avoue. Et c'est avec intérêt que j'écoutais
ses tirades lyriques sur l'époque, l'inquiétude de
l'époque, qui était à son dire une inquiétude d'origine nocturne. Quand nous dînions, derrière les vitres
du restaurant tendues de rideaux légers qui donnaient

à la rue un aspect d'aquarium, nous pouvions contempler l'aspect de cette rue populaire où le chômage laissait des traces.

Ne plus pouvoir gagner sa vie en travaillant, tel semblait être le résultat acquis par l'inconscience minutieusement organisée de la société moderne. Capitaine Hartmann hochait la tête devant chaque passant qui lui paraissait une illustration vivante d'un de ces longs discours de minuit.

Un soir qu'il pleuvait sur Hambourg et que des nuages fantastiques rassemblaient leurs bandes agressives dans la direction de la mer, nous allâmes manger et boire à Altona, devant l'Elbe mélancolique et gris de plomb. Des mouettes piaillaient au ras de l'eau. Nous fûmes heureux de nous chauffer tout en regardant ce paysage d'usines marines cernées par les infernaux paluds, assez semblables à ceux de la Baltique.

Capitaine Hartmann ayant bien bu parut décidé à bien boire encore. Le vin agissait sur lui, sur son imagination et sa mémoire, avec une puissance qui me surprenait. C'est une question de race. Le vin n'agissait pas gaiement. Il ramenait les souvenirs comme un chien de berger ramène les brebis dans l'ordre prescrit.

La nuit était venue. Elle s'illuminait de rose au-dessus de Sankt-Pauli. Capitaine Hartmann, les mains dans les poches, les jambes allongées, le corps bien enfoui dans un fauteuil, fit devant lui un geste de la main qui tenait un cigare allumé. Il traçait dans l'air un mot qu'il était seul à pouvoir lire.

« Ce mot, c'est Lia..., L... i... a, fit-il pour répondre à mon regard.

— Qui était cette Lia? demandai-je.

— Une petite. On l'appelle encore Mietze. C'est une créature de la nuit que j'ai connue et que j'ai perdue, définitivement perdue il y a environ un mois de cela.

— Un malheur de plus sur le compte de la nuit.

— Ne dites pas de mal de la nuit, ou plutôt ne dites pas un certain mal de la nuit. Nous sommes, vous et moi, dominés par elle. Il y a deux sortes d'hommes : les uns récupèrent des forces pendant le sommeil et d'autres agissent. La nuit est riche en mystères et en révélations, tout au moins celle de certaines villes que j'ai connues. Tous les romantismes sociaux viennent y chercher les parures populaires de l'inquiétude.

— Notre raison sociale est d'être inquiets par excès de curiosité.

— Oui, l'inquiétude est la puissante lumière qui anime les grands films de la vie publique et secrète de notre temps. La nuit reflète indiscrètement la pensée secrète du jour.

« Pour ne pas subir le charme dangereux de la nuit qui devient, pour beaucoup, une libération, et pour d'autres un simple état favorable à la méditation, il faut avoir confiance dans la profession qui permet à chacun de gagner sa vie. L'inquiétude contemporaine a deux origines : elle est morale chez les jeunes gens, presque mystique, et pour les hommes de mon âge elle est simplement sociale. Les uns demandent aux dieux la paix de la chair et de l'esprit et les autres tout simplement le pain quotidien avec tous les détails d'économie domestique que ce cliché millénaire porte en soi. Eh bien, voilà où le danger devient évident : les hommes perdent confiance dans leur profession. La morale la plus haute, contenue dans une profession, quelle qu'elle soit, est d'apporter la sécurité dans la vie. Toute profession qui ne nourrit pas son homme est un élément de révolte. La passivité devant le malheur est également un élément de destruction.

« Voyez Hambourg, continua Capitaine Hartmann, en s'animant, et dites-moi ce que vous avez pu deviner. Le jour, qui appartient à l'ordre, ne laisse voir les traces de l'inquiétude sociale qu'au moment même où il est trop tard pour y remédier. Mais les nuits, celles de Sankt-Pauli, de l'Alexanderplatz, à Berlin, ou de la place Clichy, à Paris, les nuits sont favorables aux désordres de la pensée. Elles déroulent les images du désespoir dessinées à la fantaisie de chacun. C'est grâce à la nuit que l'inquiétude sociale apparaît comme une étrange maladie de la volonté individuelle et collective. Tout ce que je vous raconterai ne peut servir de remède. Nous ne pouvons que nous exciter mutuellement à devenir plus inquiets, plus sentimentaux et, par conséquent, plus éloignés les uns des autres. C'est par l'exaspération de notre sentimentalité que l'on se crée des ennemis. Les peuples sentimentaux comme tous ceux de la vieille Europe sont toujours prêts à se combattre, pour des détails extrêmement puérils à leur origine. La haine naît d'un mot d'esprit ou d'une petite romance incomprise. Les hommes se battront toujours pour l'amour de la nuit qui est le vrai domaine de la personnalité et des différences qui peuvent devenir homicides.

« Ce soir, mon cher ami, je vous parle ainsi parce que ma vie ne me paraît pas plus émouvante que ma propre image dans un miroir. Elle est finie, voilà tout. Elle finit plus exactement dans une époque sans douceur pour les agonies particulières. »

La pluie de Hambourg accompagnait en sourdine les commentaires de Capitaine Hartmann. J'avais pris une attitude molle, propre à enregistrer sans qu'il m'en coûtât les doléances d'un homme certainement désespéré, mais également curieux de voir et d'entendre comme je l'étais moi-même. A certaines heures mon passé me remontait dans la gorge et je ne pouvais pas le cracher. Je comprenais donc l'attitude, un peu solennelle, de mon ami provisoire.

Capitaine Hartmann reprit son discours :

« Les pièges nés de l'An mille, cette époque mal décrite, demeurent encore tendus dans les vieux territoires du romantisme social. La nuit des grandes villes de l'Europe qui fut celle des sabbats, sitôt la paix signée, est encore assez peuplée d'étoiles pour que tous les hommes puissent espérer y rencontrer la leur. Elles ne tremblent point toutes dans le ciel. La mélancolie de minuit donne la mesure du jour. C'est en errant de rue en rue — comme je le fais — et dans les lieux de plaisir qui, par définition, sont publics, que l'on aperçoit le vrai visage de ceux qui sentent le sol se dérober sous leurs pieds. Nous sommes tous les deux des ombres romantiques, bien placées dans le temps et nous savons qu'il n'y a nulle gaieté, là où la gaieté se cramponne à l'enseigne. Il n'y a que des lumières qui vont en s'affaiblissant pour mieux préparer les spectateurs nocturnes aux surprises de l'ombre. »

Capitaine Hartmann appela le garçon pour payer. On nous apporta nos pardessus et nous roulâmes en taxi vers l'embarcadère de Sankt-Pauli, vers les petites rues voisines de la Marckt-Platz. L'agitation de la fête sur la Reeperbahn permettait de goûter le silence dangereux que les prostituées gardaient, en faisant les cent pas sur le trottoir.

Hartmann et moi nous fumions sans rien dire. Je me laissais conduire, car le vieil homme connaissait bien Hambourg. Je ne pouvais qu'apprendre en me laissant diriger par lui. Et puis nous nous comprenions trop bien pour que je fusse tenté de craindre une déception.

« Il y a un mois, dit Hartmann, je rôdais encore

par ici. Il m'est arrivé une petite aventure, un peu
sénile, que je vous raconterai plus tard, quand le
moment sera venu. Pour l'instant, je suis comme un
homme moralement ruiné qui ouvre devant un ami
son portefeuille pour lui faire voir les valeurs et
les titres qui furent la cause de sa ruine.

« Ce quartier en ce moment me dégoûte. Rentrons
si vous le voulez bien dans le luxe appétissant de
la Jùngfernstieg. A cette heure le Binnen-Alster couve
le sommeil des cygnes légendaires. Le jazz a dû interrompre sa frénésie; nous serons tranquilles devant la
paix riche d'une ville terriblement opulente. La nuit
est finie.

« Chacun a dit à son voisin ou à sa voisine les
paroles lourdes de la nuit. A l'aube l'isolement viendra
tout seul. Un isolement frais, aigre et un peu vert.
C'est ainsi que nous apparaît le monde entier à chaque
aube avant l'achat du premier journal où l'on tente
de lire entre les lignes le fait véritablement neuf et
prospère. »

Capitaine Hartmann ricana. Il leva son parapluie et
arrêta un taxi qui maraudait. Il me poussa dans
l'intérieur de la voiture.

CAPITAINE HARTMANN
REDEVIENT JEUNE

— Voulez-vous me permettre, me dit Capitaine Hartmann, de vous entraîner avec moi vers quelques ports
européens où j'ai laissé des souvenirs qui, il y a
encore un mois, prenaient forme afin de m'accueillir
et de me dominer. Grâce à un geste providentiel de
quelques larves de la rue, j'ai pu échapper à ce
désastre ridicule de ma dignité. Ce soir, c'est libéré
du passé que je désire vous en parler paisiblement.
Vous êtes un peu plus jeune que moi, mais vous
atteignez l'âge sans défense où le passé se venge et
fait commettre d'irréparables sottises à ceux qui se
laissent gouverner par ses trompeuses couleurs.
Comme moi, je le pense, vous avez dû connaître la
misère à un âge où cette disgrâce est féconde. Méfiez-
vous des retours doucereux de la misère et confondez
ses séductions perfides avec le regret pur et banal
de votre propre jeunesse. A défaut d'originalité cette
manière de comprendre votre propre passé vous sau-
vera peut-être d'un retour agressif de cette misère
violente, colorée, dont la petite flamme poétique est
entretenue de siècle en siècle par tous les coquins et
coquines de la rue... Tout au moins depuis l'époque

où vécut celui qui ouvrit les portes de la littérature
aux pauvres, aux malfaiteurs et aux filles de l'espèce
de celles que vous rencontrerez dans ce court récit
d'une partie de mon existence.

Quand j'arrivai à Naples pour la première fois
de ma vie, c'était à peu près vers 1901 ou 1902... enfin
la ville de Messine n'était pas encore détruite par
le tremblement de terre. Je vous dis cela, parce que
cette promenade dans Naples nous mènera fatalement
à Palerme au pied du Pellegrino.

Donc, quand j'arrivai à Naples sur la Piazza Garibaldi, il faisait nuit, une bonne nuit, épaisse, à peine
étoilée, pleine de mystères napolitains. Je pouvais être
âgé de vingt-quatre années. Ne précisons pas. Le
premier hôtel d'apparence modeste, que j'aperçus dans
la Via Diomède Marvasi, me parut suffisant pour
abriter ma prospérité provisoire. Un loqueteux barbu
portait mes deux valises. L'hôtel de Mme Teresa était
médiocre à souhait. Il m'évita des craintes prématurées
sur le prix d'une chambre haute, froide, aux murs
passés à la détrempe bleu de ciel, ornés d'une frise
dans le genre pompéien-pâtisserie. Un lit de fer, une
table de toilette en bambou, une commode ventrue
et tarabiscotée, un tapis crasseux, un divan crasseux,
un fauteuil crasseux et des rideaux lourds de poussière
donnaient à cette chambre son caractère et son prix.
Ce n'était pas cher. Elle me parut assez belle pour
moi. Six semaines avant mon arrivée dans Naples,
je croupissais à Rouen dans une misère dépourvue
de tout élément romantique. Je travaillais chez un
courtier maritime. Mon départ pour Naples était, cependant, un geste logique, mais je vous demanderai
la permission de ne pas en préciser les raisons.

Il me fallut huit jours pour connaître la ville. A
l'âge que j'avais on fouine partout. Naturellement, un
goût profond pour les apparences me poussait sur

la Marina, sur la Strada Nuova ou celle de la Mari-
nella. On me voyait peu à Santa Lucia ou dans les
Gradoni di Chiaia. Trop d'étrangers déparaient, à
mon avis, le pittoresque fragile de cette pouillerie
ensoleillée. J'ai revu Naples depuis cette époque. Ce
grand port de commerce n'est plus celui que j'ai
connu, non pas tant par la transformation logique de
son urbanisme que par une singulière mais spécieuse
modification de ses mœurs populaires. Par ordre,
l'Italie est devenue une péninsule triste, pleine d'in-
tincts refoulés.

Naples, en 1904, était une belle ville peuplée d'une
foule sans vergogne où dominaient les enfants. Les
scandales apportés par des gens du Nord de l'Europe
et du Nord américain y séchaient au soleil comme
des oripeaux éclatants sur une corde au soleil. Des
histoires de bordels et de prostitution ingénue diver-
tissaient les étrangers qui les provoquaient. L'air bal-
samique de la baie de Naples ne calmait point les
ardeurs des sens et si les jeunes gens nus qui s'ébat-
taient dans l'eau devant le palais de donna Anna
rappelaient la pureté élégante des marbres protégés
par la loi, il n'en est pas moins vrai qu'ils s'aco-
quinaient trop souvent aux esthètes internationaux qui
sévissaient sur les îles, d'Ischia à Nisida, de Capri à Sor-
rente. Dieu seul peut savoir jusqu'à quel point j'ai
pu détester ces illustrations magnifiques dédiées à la
« mère des jeux latins et des voluptés grecques ». Je
déteste encore les putains — renfermées dans le jardin
des racines grecques, le Gérondif en do, bourgeois
de Pompéi et l'Ablatif absolu qui a connu Tibère et
ses voluptés de vieux gamin. A Naples il était, en
ce temps-là, de bon ton de mettre les dieux dans
les secrets d'alcôve. Il est vrai que ces dieux en avaient
vu d'autres. Ils étaient tous un peu cocus, ce qui laisse
à imaginer sur la vie facile des déesses qui surpeu-

plaient un ciel sans hygiène, sans mystère et sans dignité.

Il est inutile de vous dire que je ne fréquentais point les îles où l'on admire la beauté dans des fêtes imaginées et reconstituées par des bibliothécaires invertis et des antiquaires lubriques. On chantait dans le tramway qui accédait au Pausilippe; on chantait : *Santa Lucia, Maria Mari* et tout ce que vous voudrez dans ce genre. Je garde toutefois un souvenir amer de ces chansons qui valent mieux pour moi que toutes les saloperies latines reconstituées avec l'approbation de ce très beau ciel de Capri, un ciel pour esthètes à mamelles de chiennes. Si j'aimais Naples, à ma façon, c'est à cause de la pluie qui ruisselait le long des murs lépreux et qui transformait les rigoles en torrents. Alors les gosses effrontés qui montraient leur virilité aux étrangères se cachaient sous les portes sombres en mangeant des oranges ou de la polenta. Leurs yeux luisaient dans l'ombre : des yeux en vérité lumineux. J'avais fait la connaissance sur la Marina de quelques bersaglieri à chechia rouge (petite tenue) qui appartenaient à un bataillon d'exportation. Ils tenaient garnison tantôt à Naples, tantôt en Tripolitaine ou en Erythrée. C'étaient des grands et solides Piémontais sur qui l'on pouvait compter et que l'on appelait, dans Naples, des *forestieri*. Pour dire vrai, ils ne parlaient pas la langue du pays et cette désignation s'explique. Nous nous réunissions pour boire du vin, du vin qui n'avait pas besoin de poètes pour sa publicité, du vin gai et facile à boire. Une fille vivait parmi nous, une métisse presque blanche, mais plus distinguée que les Napolitaines, courtes et trapues. La prostitution enlaidissait assez vite celles qui en vivaient. Des ruffians fréquentaient également cette taverne, mais ils s'asseyaient à une autre table. Ils étaient vêtus à la mode du jour, en complets de cou-

leur claire, mais si sales, si déshonorés par les taches
qu'on ne pouvait croire à la sincérité de leur tenue.
Cette misère s'associait assez bien à la mort violente.
Mais la mort violente offrait elle-même un visage
bouffon. La fille dont je vais vous parler s'appelait
ici : la signorina Bambù. A Palerme on l'appelait
Miss Annah et à Hambourg, Mietze ou, tout simplement, Mam'zelle Bambù. Pendant la guerre de 1914-
1918, elle fut fusillée sur un champ de manœuvres,
à Nantes, je crois. On ne sait rien sur son exécution.
Les affaires d'espionnage ont laissé peu de traces.
Mlle Bambù était une espionne, dévouée à son métier,
incontestablement. Je ne le savais pas quand je l'ai
rencontrée à Naples, sur le Corso Garibaldi. Déjà, elle
fréquentait les soldats jusqu'à neuf heures du soir et
les officiers jusqu'à l'aube. L'après-midi, elle recevait
des civils et mettait de l'ordre dans ses observations.
Le plus endiablé des polissons couronnés de roses qui
animaient les saturnales de Capri s'appelait Hugo
Breyer. C'était un compatriote dont je ne suis guère
fier, un échappé de la poésie grecque, celle dont on
retrouve un choix dans toutes les anthologies érotiques. Dans le fond, je pense que cet Hugo Breyer
se livrait à ces jeux pour se donner une attitude. Il
désirait se compromettre en choisissant ses causes pour
avoir la paix en d'autres besognes. Ce fut lui qui
dirigea l'activité secrète de la métisse pendant toute
cette période. Mietze, mi-cubaine, mi-allemande, le
vomissait, comme on le dit. Car ces sortes de femmes
libres ont d'étranges répugnances qui leur tiennent
lieu de morale. Un caporal de bersaglieri, qui était
de Milan même, me fit faire la connaissance de Mietze,
c'est-à-dire de la signorina Bambù. Tout de suite, je
fus épris, car cette femme se déplaçait dans la vie en
étalant autour d'elle les décors sentimentaux qui étaient
les miens. La signorina Bambù parlait l'allemand terri-

blement bien. Je dis terriblement à bon escient, car
entendre cette métisse brune et dorée parler la langue
de Goethe sans aucune faiblesse, pouvait constituer
un fait assez voisin du fantastique européen, tel que
nous le subissons en ce moment.

Le soir, après le dîner, nos pas résonnaient franchement sur les trottoirs. La signorina Bambù était
vive, enjouée et pas du tout femme vampire. Elle
ressemblait à une jeune institutrice de couleur chargée
de ce qu'on appelle une mission spéciale.

Pour ma part, j'étais surpris qu'on se montrât
curieux des occupations de l'armée italienne. Il paraît
que tout cela a changé. Mais à cette époque, l'Italie
se souciait peu de ses soldats et, à part quelques bataillons de bersaglieri et la marine, le reste de la
jeunesse mobilisée et ceux qui les commandaient se
désintéressaient d'une guerre que personne n'imaginait.

La signorina Bambù s'occupait de moi. Elle me
prenait la tête dans ses deux mains et elle me disait :
« Répète ceci, répète cela... je t'aime, tu m'aimes, nous
nous aimons... » Elle me déclinait le verbe aimer en
italien comme on gave un poulet. Je rigolais comme
un jeune que j'étais et je caressais de bon cœur ma
Hambourgeoise d'origine cubaine.

Elle avait dansé à... Elle connaissait les matelots
et leur pittoresque un peu surfait. A Naples, elle fréquentait des matelots de commerce et des officiers de
la marine anglaise de Malte, des hommes rougeauds
et obèses. Je vivais dans le sillage d'ombre de sa vie
secrète. Je la suivais comme mon ombre me suivait
et je ne savais rien d'elle, en dehors de tous les
secrets de son corps souple, lisse et dur comme du
bois clair bien poli. Quand elle était nue, elle luisait;
son corps éclairait ma chambre d'où j'entendais siffler
les trains vers le nord. Naples s'imbibait de tristesse
tendre comme une éponge s'imbibe d'eau et Naples

m'accablait de ses présents trop ensoleillés. La signorina Bambù, gardienne de l'ombre, me permettait de lutter contre tous les mensonges agiles créés par le soleil, fortifiés par la chaleur. La crasse napolitaine collait à mes mains. Je fus vingt fois sur le point de partir, de déchirer, dans un geste savant, toutes les images classiques d'un soir de mai dans les ruelles de la Chiaia ou du Rione de Santa Lucia. La signorina Bambù mettait un doigt sur ses lèvres et me disait : « Attends! »

J'aimais cette femme comme un homme jeune, un peu sentimental. Je grelottais derrière elle, tout en faisant le faraud quand elle n'était pas là. Bien entendu, je le répète, je ne pressentais rien de son activité clandestine. Je pensais que cette fille pratiquait la prostitution avec intelligence. Elle appartenait ainsi à une sorte d'aristocratie purement littéraire. En somme, la signorina Bambù m'apparaissait comme une création littéraire. Je l'aimais comme on aime une goélette, un paquebot, une locomotive, un fusil de chasse, un cabaret bien dessiné, un groupe de maisons, une villa inconnue vue à l'aube au sortir d'une gare déserte.

Un jour la signorina Bambù m'invita à prendre le thé dans la villa de M. Hugo Breyer près de la Via Amedeo. C'est à cette époque que se forma en moi-même un personnage assez compliqué qui devait aboutir à ce que l'on désigne sous le nom de Capitaine Hartmann. Capitaine Hartmann n'est pas un homme, c'est un ensemble, un groupe d'individus, une suite de faits...

« Tu viendras avec moi à Palerme, me dit Mlle Bambù. Tu seras mon secrétaire... n'est-ce pas, monsieur Hugo Breyer? »

Et la signorina Bambù ajouta : « Si, toutefois, cela te convient. »

PALERME ET LA SIGNORINA BAMBÙ

Le train qui m'emportait de Messine jusqu'à Palerme
roulait à travers une forêt de bergamotes dont le
parfum puissant et vulgaire pénétrait par les fenêtres
ouvertes du compartiment. Je ne voyageais pas avec
la signorina Bambù; mais en troisième classe avec
des artilleurs de Villa San Johanna en tunique bleu
foncé, au ceinturon de cuir peint en jaune citron.
Tel était l'uniforme de l'artillerie italienne avant la
guerre de 1914. Ces quatre ou cinq soldats étaient
des environs de Syracuse. Leurs propos ne rappelaient
en rien les latomies. Ils étaient minces et bruyants.
L'Afrique du Nord et la Grèce s'étaient penchées sur
leurs berceaux, comme deux fées : l'une, la première,
leur apportant l'art de parler vite en agitant les
mains et l'autre en leur confiant les principes d'un
républicanisme sournois mais peu violent. Ils se plai-
gnaient du Gouvernement et ne connaissaient rien
de la manœuvre du canon. Quand je dis du canon,
je dis bien, car il s'agissait d'un obusier de campagne
encore à peu près sans histoire. Ce canon était célèbre avant sa naissance pour l'ingéniosité de son
frein. Je ne pense pas que la signorina Bambù et
M. Hugo Breyer aient cru, pendant quelques secondes,

que mon intervention dans cette affaire leur serait
d'une utilité même pittoresque. Je n'ai jamais pu
prendre au sérieux le rôle des espions militaires.
Tous ceux que j'ai connus m'ont toujours donné
l'impression de leur puérilité. Ils étaient comme des
défonceurs de portes ouvertes. Ils ressemblaient à ces
illustres philosophes qui déguisent des vérités élémentaires sous un vocabulaire de leur invention, naturellement hermétique. J'étais trop jeune pour prendre
mon rôle au sérieux, mais assez averti de la sottise
humaine pour le prendre au tragique. La signorina
Bambù me plaisait pour des raisons d'alcôve assez
éloignées de cette science considérée comme exacte que
l'on appelle l'espionnage. J'aimais cette femme à la
peau marron très clair; je la suivais dans ses dépla-
cements et comme elle était assez riche pour subve-
nir à mes besoins, j'éprouvais une très grande satisfaction de m'être épris d'une jeune femme qui pouvait
supporter les frais de notre association sentimentale
et charnelle.

Bref, me voilà donc à Palerme sans avoir pu tirer
de nos artilleurs d'autres renseignements que quelques
chansons obscènes dont ils ne parvenaient pas, d'ailleurs, à se rappeler tous les couplets.

Palerme, à mon avis, n'est déjà plus un port européen. Cette jolie ville étalée au pied du Pellegrino
vers la mer et dans les terres au pied de Monreale,
n'était pas très animée vers 1904. Le port contenait
quelques barques de pêche, des voiliers chargés de
nouer des relations commerciales avec Tunis et
quelques cargos sales mais d'une importance plus évidente. J'habitais, en attendant l'arrivée de la signorina
Bambù, dans un petit hôtel des Quatro-Canti, au
centre même de la vie palermitane qui n'était pas
étourdissante. Je n'éprouvais pas le besoin de m'étour-
dir et comme j'étais amoureux de mon espionne de

couleur, je ne pensais guère à courir les ruelles de la Calza pour y rencontrer des filles. Celles-ci étaient éblouies par les chasseurs à cheval dont la caserne était voisine et les matelots de la marine de guerre anglaise, venus de Malte sur leurs destroyers peints en gris. Ceux-là paraissaient des clients sérieux.

L'air méditerranéen, qui fait vivre Palerme, est subtil et léger comme celui qui donne aux oasis leurs qualités reposantes. Mon arrivée à Palerme coïncida avec l'entrée dans le port d'un grand paquebot qui débarqua ses passagers pour une journée. Il y avait là des Anglais et parmi ces Anglais, M. Hugo Breyer, vêtu en cavalier, culotte de cheval, veste Norfolk de bonne coupe. Il était coiffé d'une casquette qui le rajeunissait. Son visage, sans lunettes, cette fois, me parut plus sympathique. Il suffit d'un tout petit détail pour modifier la sympathie. Il passa devant moi sans se livrer à des gestes communs d'amitié. J'étais déjà habitué au protocole de l'espionnage. Je ne parus pas surpris quand Hugo Breyer m'aborda civilement et me demanda à voix haute la direction de la Questure. Tout aussitôt il me confia, à voix basse : « Ce soir, à sept heures, devant l'église de la Catena. »

Il s'éloigna en levant sa casquette dans la direction d'une voiture de place dont le cocher lui faisait des gestes engageants.

Il me fallait attendre quelques heures. C'est pendant ce temps, assez long, que j'allai passer à Monreale, en contemplation des mosaïques, que je pus constater que je m'intéressais tout de même à la situation sociale de mon nouvel ami et à celle de ma maîtresse. Je redescendis de Monreale à pied, sans utiliser le tramway, en compagnie de quelques contadines jacassantes, qui portaient des fruits à la ville. Elles me parurent belles, mais assez farouches. Une jeune fille aux beaux yeux doux me fit plaisir à

regarder. Elle aussi me regardait en se retournant.
Elle se laissait aller à une curiosité tendre et ingénue.
Pour cette raison, sa mère se retourna également; elle
surprit mon sourire et gifla sa fille, qui la suivit en
pleurnichant. Ce n'était qu'une fillette d'une quinzaine
d'années mais qui semblait provoquer une étroite sur-
veillance de la part de sa mère.

Bien avant sept heures du soir, je commençai à
rôder devant l'église. J'étais vraiment préoccupé.
Mon portefeuille, cependant, contenait cinq billets de
cent marks et mille lires. Je pouvais au besoin prendre
le large et laisser Hugo Breyer en tête-à-tête avec ses
projets familiers. La signorina Bambù s'interposait,
hélas! entre l'écran où se déroulait le film et mes
yeux qui n'étaient plus déjà ceux d'un simple spec-
tateur.

A sept heures exactement, j'aperçus la signorina qui
venait à ma rencontre. Elle m'aborda gentiment, sans
contrainte et sans faire de cachotteries. Je lui baisai
le bout des doigts.

« Mon cher petit, me dit-elle, tu n'as rien à craindre
avec moi. Tu dois bien penser que je ne voudrais,
pour rien au monde, te mettre dans une situation
difficile. Si nous avons besoin de toi, cette nuit, Hugo
Breyer et moi-même, c'est que le service que tu peux
nous rendre ne te compromettra en aucune façon.

— Je ne crains rien, Mietze.

— Bien sûr, bien sûr... Suis-moi donc... Nous re-
trouverons Hugo à la porte des Grecs. »

En route, la signorina Bambù s'arrêta trois ou
quatre fois pour me baiser le visage à pleines lèvres.
Quelques rares passants se détournèrent et sourirent
avec indulgence. A Palerme, un baiser un peu vif,
donné dans la rue, n'arrête pas la circulation. C'était
du moins comme ça à cette époque.

A la porte des Grecs, Hugo Breyer attendait dans

une voiture de louage. C'est alors seulement que je remarquai le costume de mes compagnons. La signorina Bambù était vêtue très pauvrement, ce qui n'était pas dans ses habitudes. Quant à Hugo Breyer, il ressemblait à un grand voyou sportif, comme on en voyait beaucoup, en ce temps-là, autour des vélodromes, principalement au moment des courses de six jours : celle de Madison-Square à New York.

« Montez et taisez-vous surtout », dit Hugo.

J'hésitai un peu et prenant une décision que je pensais très fugitive, je m'installai sur le strapontin de la voiture. Les genoux dodus de la signorina s'insinuaient doucement entre les miens. Hugo Breyer n'était vraiment pas mal, quand il se donnait la peine de devenir vulgaire. Son visage froid et glabre aurait pu servir de modèle aux jeunes gens qui nous entouraient hier dans le « local » de la Schmuckstrasse. La voiture, qui grinçait d'une manière irritante, nous emporta vers la Calza, qui est le quartier populaire qui s'étend au pied du Pellegrino.

A l'angle d'un vicole, nous nous arrêtâmes. Il faisait à peu près nuit. Très près de nous une trompette de cavalerie lança un mélancolique appel ou adieu. Toutes les sonneries du soir dans toutes les cavaleries du monde sont plus mélancoliques que le chant du cygne, que je n'ai jamais entendu que sur le violon.

« Quel métier! » fit Hugo en descendant de voiture.

Son veston se retroussa un peu par-derrière et j'aperçus la crosse d'un « colt » qui émergeait de sa poche-revolver.

La mienne était également gonflée par une arme semblable. J'ai toujours possédé un revolver : par snobisme d'abord — et c'était le cas à cette époque — et par nécessité depuis. Il y a six semaines je possédais encore un très beau browning. Je ne l'ai plus; on me l'a pris. Mais un homme de mon âge n'a plus guère besoin d'un browning. La jeunesse seule peut s'associer avec le pittoresque que les armes à feu finissent toujours par imposer à ceux qui les servent. Car ce n'est pas l'homme qui commande le browning, mais bien le browning qui commande l'homme.

La voiture fut congédiée et nous restâmes tous les trois à l'angle d'une ruelle qui longeait un grand mur en mauvais état. Hugo Breyer nous poussa dans l'ombre du mur.

« Vous resterez ici, me dit Hugo. Personne ne viendra si ce n'est une auto..., une Mercédès. Elle s'arrêtera ici..., devant cette maison vide..., en face.

— Mais il y a une lumière.

— Nee..., elle est à nous...

— La voiture est conduite par Karl..., vous ferez sa connaissance. Vous lui direz : « Tout va bien... Ils « sont occupés et je suis chargé de vous dire de les « attendre. »

— Combien de temps?

— Le temps qui nous sera nécessaire. Toute la nuit peut-être.

— Ne craignez-vous pas que la voiture..., enfin une voiture ici... à cette heure.

— Nee, nee. Ici, à côté de la maison vide, à cent mètres, des filles reçoivent des clients, des étrangers de passage... Eteignez votre cigarette. Il ne faut pas fumer... Restez dans l'ombre et guettez l'arrivée de la voiture. A bientôt. »

Hugo Breyer poussa la signorina Bambù devant lui. Ils disparurent bientôt à mes yeux, car ils suivaient scrupuleusement l'ombre du haut mur, que la lune enluminait de bleu, un joli bleu d'ombre sur la neige.

Quand je fus seul, il me vint tout de suite à l'esprit de fuir, c'est-à-dire de m'en aller tout doucement vers le port, vers mon hôtel et de fil en aiguille vers la gare, Messine, le ferry-boat, un port de l'Adriatique et l'Autriche. Ce n'était déjà plus si simple, malgré la présence de mes cinq cents marks et de mes mille lires dans la poche intérieure de mon veston Norfolk. L'amour que j'éprouvais pour Mlle Bambù n'était pas encore assez puissant pour que son rayonnement pût dissiper les mauvaises pensées de cette nuit claire et parfumée. Au loin j'entendais gronder la mer. Etre adossé à un mur derrière lequel il se passe quelque chose peut, au bout d'une heure, provoquer des troubles désagréables dans le raisonnement d'un individu.

Machinalement je me mis à uriner contre ce mur, tout en pensant à autre chose, comme on dit. Les oreilles droites, ainsi qu'un renard au crépuscule du jour, j'essayais de deviner, vers Palerme, les bruits caractéristiques d'une grosse voiture qui n'était pas aussi silencieuse que celles qui nous arrivent aujourd'hui, sournoisement, sur le dos. Je contemplais la fenêtre éclairée dans la maison vide : une maison à quatre étages, la plus haute de la Calza; une maison indéfinissable, vidée arbitrairement pour une raison secrète. A cent mètres plus loin, la maison des filles semblait morte. J'eusse beaucoup donné pour y entendre le fracas normal des verres, le brouhaha rigoleur et quelques grossièretés. Cette maison était silencieuse. Il me sembla tout d'un coup que le Pellegrino allait s'effondrer sur moi. Je fis quelques pas dans l'ombre et j'aperçus la Mercédès immobile, feux éteints, Karl (peut-être) au volant et, à l'arrière, quatre hommes, dont trois étaient coiffés du chapeau classique des carabinieri. Alors..., je courus adroitement, le long du mur, dans la direction prise par mon

amie et Hugo Breyer. Je les rencontrai qui trottinaient
également le long du mur.

« Il y a, dis-je, tout essoufflé, une voiture Mercédès arrêtée au coin. Elle est pleine de carabinieri. »

Alors, alors..., Hugo Breyer et la signorina firent
demi-tour. Mlle Bambù avait relevé ses jupes et courait
vite, les genoux hauts. De voir cette femme courir
de toutes ses forces, me donna une peur abominable.
Mais nous filions tous trois les coudes au corps. A un
carrefour de ruelles, la signorina Bambù me souffla
dans le visage : « Prends à droite. » Je me précipitai,
cette fois seul, dans une ruelle semée de mauvais
cailloux, entre deux haies de cactus et d'agaves.

MARSEILLE ET LE CAPITAINE

Ici, je suis obligé de faire quelques coupures, dit Capitaine Hartmann. Cela me paraît nécessaire, parce qu'il ne faut jamais céder au goût de la confession publique absolue. Le goût de la confession publique intégrale, c'est-à-dire impudique et désespérée, constitue évidemment une grande force. Reste à connaître quel besoin nous avons de nous soumettre à une grande force. Le goût de la guerre ne vient pas de la confession publique. Mais la guerre est-elle plus ignoble que la paix homicide?

Bien qu'associé à une bande d'espions (dont une espionne : la signorina Bambù, plus jolie que tout) je ne haïssais pas la police. Je fuyais devant la police, mais je l'admirais. Depuis cette nuit énigmatique où je dus m'enfuir en courant comme un chèvre-pied, au milieu des parfums exaspérés dans les latomies, je ne pus me défendre d'un goût, peut-être maladif, mais terriblement despote pour la police, ses « choses » secrètes, ses légendes et son apparat. On ne peut rien rêver de plus décoratif qu'une auto de la police bourrée de schupos, de silence et de projecteurs qui fouillent l'ombre la plus dense. A

Marseille, au fort Saint-Jean, où j'attendais, un peu
anxieux devant une gamelle sans séduction, au moment
même que j'avais choisi pour me retirer du monde
pendant cinq ans, je rêvais les yeux ouverts de
l'avenir européen, de la guerre et de la police. Mon
aventure palermitane me faisait imaginer la guerre, ou
plus exactement les préliminaires monstrueux et perfides de la guerre. Dans ma pensée la guerre et la
police s'associaient afin de créer un état nouveau. Je
me trompais naturellement. Aujourd'hui encore, ce
sujet de méditation me vaut des heures pénibles que
je ne parviens pas à éviter, même avec des remèdes
qui procurent le sommeil de plomb.

Les guerres ont pour résultat d'imposer aux gens,
les moins imaginatifs, des réflexions précises sur la fra-
gilité de la vie humaine. Ce genre de méditation est
riche en images. Il entretient une mélancolie féconde,
et ceux qui en sont la proie ne tardent pas à
connaître les effets des réactions violentes qui naissent
de cette méditation mélancolique.

La guerre est un fait dont la réalité est banale. C'est
une réduction plus ou moins pittoresque du rythme
même de la nature. Mais la destruction, quand l'humanité en compose les éléments, devient, par l'excès
même des malheurs qu'elle comporte, une source intarissable de créations cérébrales qui se meuvent entre
les deux forces morales de l'humanité : l'espoir et
le désespoir. On ne peut guère apporter d'explications
devant un fait violent qui suscite, avec une égale
puissance, la peur chez les uns et le sacrifice de la
vie chez les autres. Ce que l'on peut contrôler avec
plus de certitude est précisément la création arbitraire
de la pensée qui, parfois, emprunte un symbolisme
puéril. Le sang est une valeur sociale, moins estimée
cependant que l'or. On sacrifie plus volontiers son
sang, car le sacrifice est impromptu, que l'or, qui est

souvent le résultat matériel de toute une existence
de luttes. Mais le sang est riche en spectacles imaginaires. Il est à l'origine de tous les mystères profonds
qui démoralisent les foules et font trébucher la raison.
Autour du sang humain répandu erre un étrange
cortège de fantômes dont la description est sans limites. Le sang humain versé par meurtre fait vibrer
tous les fils de laiton du téléphone et du télégraphe.
Le meurtrier, malgré qu'il en ait, sent sur ses épaules
tout le poids du monde. Car le sang est une valeur
sociale poétique, et la poésie est une forme de tour-
ments indescriptibles pour ceux qui ne peuvent élever
leur âme au-dessus de certaines convoitises vulgaires.

A toutes les époques qui suivent une grande guerre,
l'idée du sang répandu impose ainsi des réactions
imprévisibles. Ce sont elles qui deviennent les éléments essentiels du romantisme, qu'on peut appeler
avec plus de clarté : le fantastique social.

Ce fantastique revêt, suivant les époques, des
aspects différents, mais l'inquiétude populaire est
toutefois la même. Les applications pratiques de la
science ne font que renforcer ces images fantastiques en y mêlant un mystère nouveau. Plus la lumière est éclatante, plus l'ombre est épaisse; c'est toujours dans l'ombre que l'humanité aime à rechercher
ses angoisses; c'est l'ombre des villes les mieux éclairées qui nourrit peut-être les plus étranges larves...

Capitaine Hartmann alluma un cigare et poursuivit
son récit en soufflant sa fumée très loin devant son
visage.

— Si la terre est désormais découverte, si la tra-
versée du Sahara ou du désert de Gobi n'est plus
qu'un exploit sportif dont l'on attend peu de révélations, car le meilleur en est déjà connu, l'homme

et son domaine moral recèlent toujours tous les
secrets de l'aventure. Devant certains actes, devant
certains crimes — il serait facile de citer des exemples
récents —, l'imagination des hommes reste confondue.
On peut prévoir le pittoresque d'un voyage en
Extrême-Orient, on ne peut prévoir l'expression quelquefois terrifiante d'une pensée secrète d'un homme,
d'une femme ou d'un adolescent. Ce mystère écœurant
tente la curiosité publique et donne aux récits qui
décrivent une action criminelle un attrait dont
l'horreur est contagieuse.

C'est pourquoi, parmi les créateurs classiques de
ce fantastique qui, souvent, émeut profondément la
sensibilité d'un pays, le policier s'inscrit en tête de
liste. Autour de lui gravitent tous les individus inquiétants de la société, dont un seul peut rompre l'har-
monie sociale protégée par une multitude de braves
gens. Un assassinat provoque de nombreux exégètes.
C'est dire à quel point il excite la curiosité publique.
La défense contre les malfaiteurs n'empêche point
cette sombre curiosité que leurs actions réveillent
dans les foules.

La guerre des soldats est franche. Pour cette raison,
elle est presque sans histoire. Mais la guerre des
espions, pour être d'une autre essence, nous fait pénétrer dans le domaine secret de la race humaine,
et donne à des paysages familiers, à des rencontres
quotidiennes, une vie d'apparence merveilleuse.

La police est ainsi comme l'expression la plus populaire, non seulement du goût des foules pour le châtiment, mais encore de ce penchant pour toutes les
manifestations de ce fantastique social qui pare d'un
élément inconnu des petites villes souvent paisibles.
Le nombre des romans dédiés à la police est, en
vérité, si grand qu'il révèle sans discussion l'éternel
pouvoir de l'ombre qui est la peur du meurtre, plus

affreuse que la peur de la mort. Comme en toutes
choses, les accessoires et le pittoresque qu'ils comportent
dépassent l'importance du principe. La mort n'entraîne
l'aventure qu'autant qu'elle sait emprunter au fantastique social ses oripeaux romanesques.

Le policier se dresse comme un phare au-dessus de
la tourbe des malfaiteurs, des indicateurs qui, moralement, ne valent guère mieux, et des espions — mais
comme un phare dont la lumière ne jaillit brus-
quement qu'au moment de l'arrestation du coupable.
Avant ce choc suprême, une brume merveilleuse enve-
loppe sa silhouette. Le silence feutre ses pas. Il est
partout, tel un fantôme protecteur, inexorable. Sans
l'apercevoir, on pressent qu'il chasse. Les rues, les
bois et les champs demeurent alors soumis à sa volonté. C'est, en vérité, une curieuse figure d'homme
qui donne aux réalités un rayonnement dont la vie
est indescriptible.

Sa personnalité est faite de mille personnalités, et
chacune d'elles cultive une spécialité. Il est fort, parce
que l'indignation publique l'anime. Il possède la terrifiante volonté des automates perfectionnés, car, au
contraire du malfaiteur, il est sans passions. J'imagine
assez le policier moderne comme un de ces étranges
personnages de laboratoire, dont l'aspect physique est
dépourvu des détails qui donnent de la séduction à
la silhouette humaine.

C'est une machine aux joints d'acier, d'une sensibilité mathématique. L'électricité parcourt le réseau
des fils multiples qui aboutissent à son cerveau. Il est
de même que l'appareil photographique, où le vrai
visage des choses, caché sous des apparences, se dé-
veloppe en surimpression comme dans les films. Il règle
ses propres déductions sur des ondes minutieusement
enregistrées par un poste invisible. Ce personnage,
qui doit être armé de tous les moyens mécaniques

pour voir et entendre, se tient naturellement à tous
les mauvais carrefours, où les sinistres pensées tour-
billonnent ainsi que des feuilles mortes.

L'homme de la police, pourvu d'antennes et de
lampes capables de révéler les sons les plus infimes,
peut ainsi atteindre les limites d'une manière de
poésie policière. C'est à ce moment qu'il entre dans
la littérature, dans cette catégorie de littérature qui
se nourrit de visions contemporaines et qui, naturellement, n'a rien de commun avec ces nombreux romans
populaires où le policier et l'intelligence directrice
de la police jouent un rôle aujourd'hui tombé en
désuétude.

Vous me pardonnerez cette petite crise de poésie
policière quand vous saurez que j'ai appartenu à cette
institution jusqu'en l'année 1919. A cette époque je
devins riche d'une manière incontestable, mais banale :
un héritage. Je donnai ma démission et je le regrette.
Je ne pouvais guère agir autrement.

Cette coupure dans ma vie dura cinq années. Point
de départ : Marseille 1903 et retour : Marseille 1908.
Cette période de néant fit de moi un homme sans
graisse physiquement et moralement. Toute ma graisse
fondit dans la méditation du côté de Colomb-Béchar
d'abord et d'Oudjda par la suite.

Quand je revins à Marseille en 1908, j'étais vêtu
de la vareuse bleu marine et du pantalon de même
couleur de l'infanterie coloniale française. Mais, re-
tenez ce détail, j'étais coiffé d'un képi rouge à turban
bleu timbré d'une grenade à flammes renversées. A
ce signe on reconnaissait un légionnaire en congé li-
bérable, retour du Tonkin, de Tuyen-Quang pour
préciser. Je garderai, toute ma vie, l'impression de
douceur maternelle que Marseille m'offrit en présent
quand notre méchant cargo-transport qui avait failli
se disloquer avant le port se présenta un peu honteux

devant un des paysages les plus célèbres de la terre.
Marseille étincelait de béatitude au bord de la mer
aussi bleue que sur les affiches de tourisme. On peut
se reposer sur elles pour obtenir une vision moyenne
d'un voyage en série. Je voyageais en série, puisque
j'appartenais à un groupe de trente-cinq soldats amai-
gris par la « godiche », la touffiane et le choum-
choum national.

Oui, l'on peut, sans larmoiements séniles, regretter
Marseille, ville accueillante, philosophe et bonne fille.
Ses extraordinaires bas-fonds, alors incomparables,
rayonnaient dans la lumière de l'amitié nonchalante.
Dès qu'il me fut permis de rompre avec mon passé
militaire, je me dirigeai vers le Vieux-Port, chez un
nommé Loriani qui tenait un débit de boissons et
un petit restaurant où l'on mangeait des coquillages
et des pieds paquets. J'avais donné son adresse comme
celle d'un cousin qui me trouverait un emploi civil.
Loriani avait servi à la Légion. Depuis il vivait à
Marseille : sa femme tenant le bar et lui s'occupant
de son côté. C'est de ce côté que je désirais me diriger. J'espérais y trouver tout de suite de quoi me
suffire en mêlant beaucoup de beurre à mes épinards,
comme on dit chez vous. Je trouvai mon Loriani dans
sa cambuse de la rue Bouterie. Elle était déjà célèbre.
Mais on n'y rencontrait ni les Napolitains sournois ni
les bicots surexcités. On ne tirait le couteau qu'à bon
escient et personne n'aurait fait de mal à qui ne voulait point faire de mal. Les « cagoles » ne volaient
point les casquettes pour attirer leurs propriétaires
dans des coupe-gorge choisis. Les artistes fréquentaient
le quartier. On les accueillait bien. Ils mangeaient et
buvaient dans la salle à manger privée des bordels.
On leur demandait des conseils et jamais des sous.
Tout cela a bien changé, comme tout a changé en
allant vers le mal, vers le mal profond, étudié comme

on étudie une profession, le mal sans enthousiasme et réglé de même qu'un emploi de bureau.

Loriani, en corps de chemise rose, un faux panama sur le crâne, me reçut à la porte de son restaurant qu'il avait orné d'une enseigne non équivoque : *Au rendez-vous des primards*. Depuis, ce restaurant est devenu en argot de Toulon : *Au rendez-vous des Matafs.* On y boit; on y trouve tout ce qu'on veut. C'est l'éternelle histoire. Rien ne se renouvelle moins que le vice si ce n'est la sottise. Loriani essuya sa moustache poivre et sel et me donna l'accolade.

« Alors, vieux, tu casseras bien la croûte... Entre..., j'ai tant de choses à te dire. »

Il me présenta à sa femme, une bonne Marseillaise un peu gnangnan, mais prodigieusement éloquente. Ah! nous fîmes un bon « boulot ». Elle cuisinait bien et je fus content de reprendre contact avec la vieille Europe en abordant directement devant une bouillabaisse savante et bien équilibrée. En ce temps-là je subissais encore les préjugés, je ne dis pas de la bonne cuisine, mais de cette fameuse cuisine considérée comme un art. Quel affreux chiqué! Tout homme garde en son cœur le désir du plat simple : bifteck, pomme frite, quant au reste... la mémoire du ventre l'oublie facilement.

Loriani me garda chez lui pendant quinze jours sans rien me demander. Cependant je n'étais pas démuni d'argent. J'avais su me débrouiller à Tuyen-Quang aussi bien qu'un « doublard » de l'infanterie de marine. J'étais revenu avec cinq billets de mille francs, de quoi vivre pendant un an, en étant sérieux. De ceci je n'avais aucun souci, car je ne buvais pas.

Sur la recommandation tenace et précise de Loriani je fus présenté à M. Galfin de la police municipale qui, tout aussitôt, me donna le conseil de gagner

Paris pour y trouver le directeur de la police judiciaire auquel il voulut bien me recommander. Je
rentrai assez satisfait chez Loriani. Je tenais dans ma
poche une lettre d'introduction qui allait m'incorporer
dans cette force terrifiante qui m'avait fait fuir éper-
dument pendant cinq ans et deux mois avant cette
conclusion. La tactique de Gribouille qui consiste à se
jeter dans l'eau quand on craint la pluie ne me
paraissait pas ridicule. J'ai toujours suivi ce principe
de mon mieux chaque fois qu'il m'a été possible de
le faire.

Est-ce le bleu de l'eau méditerranéenne, ce voilier
élégant abordant devant le Vieux-Port? Est-ce cette
chanson napolitaine : *A canzone mia* entendue un soir
à la terrasse d'un petit café du quai Rive-Neuve? Toujours est-il que la voix de la chanteuse des rues
m'entra profondément dans l'âme. Une profondeur de
cinq années, c'est quelque chose. L'apparence de la
signorina Bambù se dressa entre mes yeux et la chanteuse qui n'était qu'une gosse de seize ans affublée
d'un méchant corsage et d'une jupe trouée. Cette
môme, cependant, était fière de son état. Elle chantait
en se baladant de long en large devant la terrasse
où je prenais un pernod. Un guitariste assez habile
l'accompagnait. On lui jeta des sous. Je lui jetai des
francs. Elle les vit, les ramassa et s'approcha de moi
en chantant... *Maria Mari,* et en se dandinant comme
l'autre, celle de la Marina, à Naples. Elle ressemblait,
en plus jeune, à cette maîtresse inoubliable que je
n'avais plus revue depuis la dangereuse nuit de la
Calza.

Le guitariste entraîna la fille plus loin, vers une
autre terrasse. Le souvenir de la signorina Bambù,
que j'appelais Mademoiselle, demeura sur le trottoir,
devant mes yeux. Celle-ci plus jeune la remplaçait.
Elle appartenait au même type d'humanité. Son père

était noir, sa mère était blanche, la coquinerie brillait
dans ses yeux. Je l'appelai, mais l'homme à la guitare
me dit : « Laisse-la... tu comprends... ce n'est pas pour
toi... madame est mariée. »

Mlle Bambù numéro 2 disparut dans le vieux quartier réservé. Je dus renifler mon émotion : Quel âge
pouvait avoir la vraie? Peut-être trente ans. Elle
n'avait pas plus de vingt-cinq années quand je la
tenais assise sur mes genoux, dans les guinguettes de
Santa Lucia et de Torre Annunziata. Je pensais que
je pourrais la revoir sans cette déception aiguë qui
tue le passé définitivement. A trente ans une fille
souple comme l'était Bambù devait avoir gardé sa
beauté et sa séduction de danseuse professionnelle.
L'apparition de la gosse napolitaine ne constituait
qu'une diminution misérable de l'image d'une femme
que je vieillissais de cinq ans par tous les procédés
de l'imagination. Cette prudence m'a défendu toute
ma vie contre les déceptions sentimentales de l'avenir.
L'idée de la mort ne s'était jamais mêlée à mes souvenirs, même quand, à peu près désespéré et déçu,
je me morfondais sur mon châlit du quartier Viénot.
J'avais pu fuir et, pressentant qu'on me traquait, m'en-
gager pour prendre un point de départ dépouillé de
mon passé. Mais j'avais lu les journaux. Mon aventure de Palerme ne paraissait pas avoir laissé de traces.
Si je n'entendis plus parler de Mlle Bambù, du
moins il ne m'arriva jamais d'imaginer qu'elle fût
morte. Hugo Breyer ne disparut point de mes souvenirs. L'énergie de cet homme m'avait séduit et
pendant quelque temps je me pris souvent à l'imiter
dans ses attitudes. C'était assez puéril. Un jour que
nous poursuivions chez les Beni-Snassen un but qui
appartenait déjà à la conquête du Maroc par les
Français, le bruit courut qu'un aventurier allemand,
d'aucuns disaient un capitaine de cavalerie allemande,

dirigeait les Rifains descendus des djebels espagnols.
Il me vint tout de suite à l'esprit que cet homme
pouvait s'appeler Hugo Breyer. Je le voyais en saroual
et drapé dans une djelhaba brune; je reconnaissais son
visage maigre et dur sous le turban bien enroulé.
Naturellement, je n'eus jamais l'occasion de contrôler
cet excès d'imagination. Une nuit que je dormais en
marchant avec des copains de ma compagnie, il me
sembla que la signorina Bambù se mêlait à notre
troupe poussiéreuse. Elle prit mon lebel et m'accompagna sans dire un mot, en souriant. Nous soulevions
plus de poussière qu'un troupeau de moutons; mais
elle marchait sans gêne, à la manière des gens qui
font une bonne action.

V

PÈRE BARBANÇON

JE vais vous confier une observation que j'ai contrôlée souvent au cours de ma carrière dans le service des « missions spéciales ». L'espionnage, c'est un peu comme tous les jeux de hasard : il faut miser sur deux tableaux pour pouvoir « s'en tirer ». Je fus, en ce sens, à la fois au service de l'Allemagne, de l'Angleterre et de la France. J'obtenais par mon adresse une certaine marchandise qui n'avait de valeur qu'autant que son authenticité était garantie. Cette marchandise, je la vendais au plus offrant en tenant compte des besoins de chacun. Il fallait faire valoir ma camelote. Ce n'était pas toujours commode. L'espionnage comporte une très grande force littéraire et les chefs de service ne sont pas des surhommes comme on veut bien le dire. Ce sont des individus qui raisonnent. Il suffit de connaître leur logique pour la nourrir de petits cadeaux dont les états-majors cherchent à tirer profit. En général, les espions sont surtout chargés de s'espionner entre eux, de se tendre des pièges, de se voler des secrets et de donner à des petits commérages de filles galantes un caractère mystérieux que les circonstances rendent tragiques. Les

espions, pour la plupart, ne croient pas à la valeur
réelle de leurs marchandises. Ils sont eux-mêmes très
surpris de tirer profit de renseignements qui leur paraissent anodins et souvent faux. Les espions et surtout les espionnes sont de grandes ingénues et souvent
de petites coquettes. Ces dernières ne comprennent
absolument rien à la procédure qui les condamne à
mort et devant la potence ou le poteau, elles se
jugent elles-mêmes comme les victimes pitoyables d'une
affreuse erreur judiciaire.

Pour en revenir à mon cas, je fis mon apprentissage
dans une agence de police privée dont le siège social
se trouvait aux environs de Paris, vers l'est. Curieuse
boîte que cette agence. Le directeur était un Armé-
nien. Je ne me rappelle plus son nom. Il était menteur
comme une vieille carne et ne voulait jamais payer.
Un soir que je n'avais plus un sou pour dîner et
payer ma chambre, je lui réclamai énergiquement
deux cent cinquante francs qu'il me devait. J'étais
exaspéré par une filature sous la pluie de mars. Depuis
neuf heures du matin je suivais un jeune provincial
que ses parents faisaient surveiller pour des raisons
qu'on ne me donna point. C'était un déficient. Mais
la question n'est pas là. Cet écervelé me fit trotter
pendant huit heures; il était infatigable..., à moins
que le plaisir de m'avoir dépisté... Bref, je rentrai
au Raincy, imbibé d'eau comme une éponge. Je réclamai mon dû. Le patron se déroba. Alors je lui
cassai la gueule. Il essaya à peine de se défendre et
me tendit deux billets de cent francs.

Il ne pouvait plus être question de rester chez ce
policier bénévole et sans capitaux. C'est alors que je
me décidai à franchir le Rubicon. A la suite de nombreuses démarches dont le récit serait fastidieux je
fus recommandé à un certain N° 28, au service de
l'Allemagne. Cet homme, à mon avis, était d'origine

indéfinissable... comme moi. Nous l'appelions, les
autres numéros et moi-même : Père Barbançon.

C'est à Brest, au beau temps de Recouvrance, deux
années avant la guerre, que je fis la connaissance de
Père Barbançon à une table du *Café de la Marine*
qui, en ce temps-là, jouissait d'une évidente prospérité.
Il y avait là des petites alliées, devenues fameuses
par la suite, des midships, des élèves du *Borda* et
des casquettes galonnées plus hautes que celle du célèbre Angiboust, dont vous n'êtes pas sans avoir
entendu parler. Père Barbançon se montrait poli et
familier avec tout le monde. Il se trouvait à l'aise
dans cette brasserie bruyante et joyeuse. Toute la
jeune marine de guerre se réunissait là. Les uniformes
sombres des lieutenants de l'infanterie coloniale de
la caserne élevée devant l'ancien bagne s'associaient
aux sobres uniformes des marins. Peu de pantalons
rouges. Père Barbançon, prévenu de ma visite par
l'agent N° 7 de Paris, m'attendait devant une chou-
croute garnie. C'était un grand quadragénaire ventru
et négligé : visage rouge et barbe rousse très courte
à la florentine. Pour tout le monde il tenait une boutique de shipchandler sur le port de commerce,
quai de la Douane. Ah! cette boutique! Quel beau
décor pour un film de Pabst! C'était l'arrière-boutique,
surtout, qui valait la peine d'être admirée. Elle était
meublée d'une table ronde, d'une cage à canaris, de
six chaises et du fauteuil présidentiel occupé par Père
Barbançon. Dans un coin, dressé comme une armure
japonaise d'agrément, luisait de tous ses cuivres un
appareil de scaphandrier. La cuisine qui servait parfois de chambre noire pour le développement de certains clichés s'ouvrait directement sur cette pièce. On
pouvait sortir par la cuisine et retrouver une ruelle
qui donnait sur la rue du Chemin-de-Fer. La boutique de Père Barbançon offrait donc deux entrées,

garantie sans effet car tout le monde connaissait ces deux entrées.

Mais revenons à ma présentation. Père Barbançon m'accueillit en souriant, la main largement tendue : « Quel plaisir, mon cher ami, de vous revoir. » Il ne m'avait jamais vu. Mais cette cordialité nous lia instantanément en supprimant toutes les chinoiseries sentimentales de l'inconnu qui nous rendait énigmatiques l'un pour l'autre. Il me sembla, sans effort, que je connaissais Père Barbançon depuis longtemps.

Je lui fis l'offre d'un demi de bière blonde et, très cordialement, nous abandonnâmes le café de la Marine pour regagner la boutique du quai de la Douane qui était telle que je viens de vous la décrire.

Père Barbançon ôta le bec-de-cane de la porte et m'offrit un siège dans l'arrière-salle. Il se cala lui-même dans le fauteuil : « Le Numéro 7, me dit-il, m'a fait parvenir ce matin par un placier en chemises de matelots des instructions complémentaires qui vous concernent. Vous êtes noté comme un homme intelligent, assez instruit et courageux; ce dernier qualificatif vous est accordé après enquête au deuxième régiment étranger où vous avez servi. Voici donc la situation sociale qui vous est offerte et qui vous permettra de travailler à l'abri. Pour commencer je dois vous remettre ce portefeuille; il contient tous les papiers d'identité qui vous sont nécessaires pour avoir le droit de vous appeler Joris Gouma, natif de Hindelopen-en-Frise. Vous prendrez des renseignements sur ce petit port hollandais. Votre profession est celle de capitaine long-courrier, votre brevet est avec les autres papiers. Je vous conseille d'étudier un peu l'art de la navigation pour ne pas dire de sottises au café de la Marine ou ailleurs. Vous allez prendre en apparence le commandement du *Medemblick* dont le second, M. Fischer, est un marin parfait, ce qui

doit tout de suite vous mettre à l'aise. M. Fischer
fait partie de notre groupe. Mais son rôle doit rester
celui du capitaine réel du *Medemblick,* ce qui vous
permettra de travailler en paix. Le *Medemblick* a
pour but d'acheter et de relever les épaves pour
essayer d'en tirer quelque profit. Il vous faudra étudier cette question. Voici quelques brochures choisies
par moi, accompagnées de notes manuscrites qui vous
donneront le ton nécessaire à un capitaine correct qui
veut passer inaperçu. »

C'est de ce jour que je pris le titre de capitaine.
Le lendemain j'entrai en possession de ma cabine et
le *Medemblick* appareilla pour aller relever l'emplacement d'un petit cargo coulé près de l'île de Qué-
menez. Durant cette opération qui m'éloigna de Brest
pendant trois semaines, j'eus le temps de m'incorporer
assez adroitement dans la personnalité d'un capitaine
hollandais, bon commerçant et sérieux. Car il ne
s'agissait pas pour moi d'aller godailler avec les petites
poules en chapeau du café de la Marine et celles sans
chapeau de Recouvrance.

Ma mission, je peux bien vous le dire maintenant
que tout est terminé et pour longtemps, je l'espère,
consistait à rechercher des emplacements qui puissent
permettre à un sous-marin de débarquer quelques
hommes à terre afin d'y prendre des provisions et, à
l'occasion, d'y créer des dépôts d'essence. J'écrivais,
sur ce sujet, de larges « tartines » détaillées et précises que je remettais à Père Barbançon, qui les
faisait parvenir à je ne sais qui.

Je ne suis pas un méchant homme, je ne suis pas
un grand patriote, je ne hais... mais ce métier, qui ne
m'apparaissait pas dangereux, convenait à mon goût
pour l'instabilité, le mystère et l'argent facilement
gagné. Je dois vous redire encore que toute mon activité me semblait puérile. Je n'arrivais pas à me

convaincre qu'un jour, qui n'était déjà pas éloigné, l'Allemagne se servirait de mes renseignements avec profit.

Vous connaissez cette histoire du sous-marin qui torpillait les convois devant Brigneau-en-Moëlan. Les officiers allemands qui le commandaient allaient bien des fois casser la croûte à terre, vêtus de leur ciré. Ils parlaient correctement français, et, ma foi, sous le ciré, un officier de marine allemand n'est pas très différent d'un officier de marine français ou anglais.

J'aimais bien Brest, à cette époque ville militaire de premier ordre. Cette pauvre ville a bien changé depuis; je l'ai revue après la guerre, tuée par la guerre et surtout par les nouveaux traités qui associent vos nations. Le pittoresque charmant de cette belle cité de fin de terre européenne fondait à vue d'œil.

Pour moi, qui l'avais connue en 1912, 1913 et 1914, elle devenait méconnaissable. J'en éprouvai une amertume qui se mêla au souvenir subitement réveillé de ma métisse : la signorina Bambù. La rue de Siam déroulait ses spectacles où le costume des femmes émerveillait les touristes. Tout cela a disparu. Les filles médiévales de Plougastel, celles du sévère pays de Léon, et les désespérées d'Ouessant portent des pull-overs. Les coiffes subsistent encore heureusement pour la douceur des visages. J'ai connu une Ilienne..., mais à quoi bon... *Tout cela est mort pour jamais. Et il n'y a pas de « bus » allant du Strand à Mandalay.* Rappelez-vous la chanson.

Je demeurai à Brest jusqu'au commencement de juillet 1914. Alors j'eus peur, une peur lucide qui me faisait bondir dans mes draps trempés de sueur. Je vis devant moi l'avenir. Un ciel d'alarme me dicta ma conduite.

Père Barbançon, toujours souriant, regardait main-

tenant, soigneusement, derrière soi quand il sortait.
Le soir, il s'enfermait à double tour dans son caphar-
naüm. Cette attitude n'était visible que pour moi;
mais elle ne m'encourageait pas à persévérer dans ma
profession.

Sans dire un mot à Père Barbançon que mon départ
devait enliser dans l'angoisse, je partis pour Rotter-
dam, ayant déjà une idée classique dans la tête.
Grâce à ma robuste constitution, je fus incorporé dans
la Legeer qui est la Légion Etrangère néerlandaise.
Après six mois de dépôt, coiffé du shako noir garni
de galons de couleur orange, je fus embarqué pour
la colonie.

C'est dans l'île de Sumatra, dans la brousse de
Batighé, près du Lac Toba, que je fus blessé à l'épaule
d'un coup de poignard mal empoisonné.

Ma tête était l'enjeu de ce match qui se déroula
près d'une mitrailleuse enrayée.

Ceci se passait au moment que devant Verdun
vous défendiez, encore une fois, la route de Paris.

VI

LE CAPITAINE VOIT SON SANG

En 1918, à la signature du traité de paix, je vivotais à Berlin comme gérant d'un cabaret de nuit, dans la Neue Königstrasse, une petite boîte médiocre, fréquentée par des filles publiques maigrichonnes et des ruffians fraîchement démobilisés. Je ne me plaisais pas parmi ces gens. Toutefois mes fonctions de gérant d'un « lokal » assez suspect me permirent d'entrer, encore une fois, en relation avec la police allemande. En temps de troubles, les policiers sont encore les plus gras. Ils peuvent manger et prospérer avec insouciance, car un changement de régime, qui peut être homicide pour certains, ne provoque chez eux qu'un changement de détails dans leur uniforme. Il arrive quelquefois que les troubles sont assez importants pour motiver un changement complet d'uniforme. Ce fut le cas. Pour ma part je ne portais pas d'uniforme. En période révolutionnaire on avance vite dans la grande maison de la Grunerstrasse. Deux ou trois affaires qui me valurent des félicitations donnèrent à mes chefs l'idée de m'expédier à l'étranger pour y travailler en collaboration avec New Scotland Yard, au bord de la Tamise.

A Scotland Yard j'ai rencontré des gens charmants,

un peu militaires, sans doute, mais parfaitement courtois et distingués. La race anglaise est, d'ailleurs, distinguée. Cela lui vaut des sympathies. Les hommes
de Berlin, mes employeurs, étaient moins distingués
que les Anglais, par conséquent moins sympathiques
que les Anglais. Alors il était nécessaire que nous
fussions prudents dans nos propos, quand il s'agissait
de la « chose publique », car on ne nous faisait
grâce d'aucune gaffe. Il n'en va pas de même pour les
Anglais qui peuvent se tromper à leur aise parce qu'ils
sont distingués.

J'ai vécu deux années à Londres depuis la guerre.
Je parle la langue aisément avec un peu d'accent,
comme un dutcher. J'étais accrédité auprès de la police anglaise qui m'aidait à rechercher un criminel
particulièrement ignoble.

J'aime Londres, Londres est ma seconde patrie :
c'est une ville riche en éléments qui appartiennent à
cette société peuplée d'apparences qui est celle que
je découvre en me déplaçant quotidiennement.

Que vous dire de Londres? Je ne sais par quel bout
commencer. Je vivais dans le port à cause de mes re-
cherches. Je connais mieux le port que je ne connais
Mayfair. Ce n'était pas là que l'on m'invitait à dîner.
Mon terrain de chasse commençait à Scotland Yard
pour se terminer à l'ouest vers Barking. C'est un vieux
souvenir élisabéthain, qui me sert encore de point de
repère.

La Tour de Londres et le porte-clefs, les « beef-
steaks », vêtus d'écarlate et d'or, surveillent la ville
d'un côté et les innombrables docks de l'autre. De
Westminster, traditionnellement égaré dans les brumes,
des cloches surannées se répondent et mêlent leurs
cantiques au long grincement des tramways qui suivent
le quai Victoria, à toute allure.

Des docks Sainte-Catherine jusqu'à Beckton, les deux

rives de la Tamise sont découpées ainsi qu'un échi-
quier dont chaque case est un bassin peuplé de cargos,
d'élévatrices, de hangars, de grues, et de passerelles
hardies. Les marteaux des chaudronniers accompagnent
le « cliq-cliq » monotone des treuils. Les camions
sentent le poivre, le rhum et tout ce que l'on peut
acquérir au-delà de Suez pour se créer une personnalité intime, comme la mienne.

Whapping au sud et Shadwell à l'est limitent ces
fameux docks de Londres dont l'eau noire et calme
ne reflète plus qu'un paysage d'activité humaine dédié
à la gloire évocatrice de la grande épicerie de
haute mer. L'ancien décor qui pouvait séduire par
les mystérieuses occupations des hommes qui y vivaient
est aujourd'hui détruit. Les larves créées par Sir
Antony Trollope ne sont même plus enfouies dans la
mémoire des enfants. Il faut, évidemment, beaucoup
d'imagination pour retrouver les éléments de ce merveilleux social à l'usage des classes dangereuses, qui
fut un peu le point de départ de tous les romans
d'aventures estimables. Près de l'escalier du Tunnel,
à Whapping, commençait le quai des Exécutions,
dont on parlait sur toutes les mers et qui vit la
dernière cabriole du capitaine Kid. L'humanité n'a
pas perdu la curiosité de ces sortes d'emplacements.
Si j'ai bonne mémoire, c'est en 1701 que se déroula
la cérémonie de la pendaison de Kid, en présence
d'une foule médiocre et de quelques gens de mer
trapus, qui connaissaient, mieux que la Bible, les
chansons des baleiniers et les chemins qui, de taverne
en taverne, font le tour du monde.

De Whapping on aperçoit, de l'autre côté de la
Tamise, les soixante-dix hectares d'eau des Surrey
Commercial Docks. Les rails tracent sur le sol des
arabesques de mercure, les piles de bois rompent les
perspectives et des cargos sud-américains débarquent

des viandes congelées, comme des souvenirs de guerre.
Je faisais souvent cette promenade dans une auto
de Scotland Yard, car le monstre que je recherchais
devait, selon les probabilités les plus étudiées, travailler dans ce paysage régulier, mais singulièrement
mobile. C'était une besogne d'exploration qui demandait de la patience, car si l'on descend vers Barking
les docks se succèdent. Je traversais les West India
Docks consacrés au rhum. On y accède par Commercial Road et East India Docks Road, deux avenues
bien éclairées, mais où mon ombre seule me devan-
çait ou me suivait pendant la nuit. C'est, finalement,
Poplar et Limehouse, le quartier chinois que vous
connaissez peut-être, en somme, le Barrio Chino lon-
donien.

Il est agréable, pour un policier qui, par profession, doit exciter son imagination, d'errer au crépuscule de la nuit dans ces deux rues rectilignes bor-
dées de petites villas en briques, d'apparence confortable, mais qui renferment chacune des éléments tragiques, sournois et parfaitement silencieux. Sur
quelques fenêtres de ces cottages délabrés sont collées
des affiches en caractères chinois. Elles sont destinées
à attirer les matelots de couleur jaune qui, pour l'ordinaire, fréquentent les chaufferies à bord des cargos.
Dans ces « boîtes » lugubres et sales on trouve du
riz, des femmes et aussi de l'opium. Mes confrères
de New Scotland Yard font une chasse acharnée aux
Chinois, marchands d'opium. Ils les frappent assez
souvent jusqu'à les laisser sur place. Les pourvoyeurs
de drogue habitent le quartier. Ils se donnent le
genre d'honnêtes commerçants, mais de commerçants,
malgré tout, inquiétants, acoquinés avec des filles
blanches, de misérables créatures abruties par l'alcool.
Les Chinois, dès la tombée de la nuit, à peu près à
l'heure où le trafic des voitures cesse dans ce quar-

tier, se promènent par bandes, à pas feutrés. On ne
les entend pas venir. Ils vont d'un trottoir à l'autre,
et s'évanouissent comme des fantômes. Ils vont chez
l'un, chez l'autre, pour jouer, accroupis en rond, sur
le plancher. Ils ne se dérangent pas quand on ouvre
la porte. Mais quand il me prenait la fantaisie
d'ouvrir la porte d'une de ces demeures, j'apercevais,
dans la pénombre, une fille extraordinairement pâle,
des tasses cassées sur une mauvaise étagère, des linges
douteux entassés dans un coin, des joueurs et des
enfants, dont le malheur paraissait irréel.

Les ladies de Pennyfields sont saturées d'alcool, à
un tel point que, de loin, leur abrutissement apparaît
sous un aspect presque angélique. Elles ressemblaient
à des mauvais anges de la nuit. Leurs gestes paraissaient dominés par les idées saugrenues qu'inspire
l'alcool. Tout cela pour aboutir à une certaine dexté-
rité dans l'entôlage. Elles guettaient, ces mornes si-
rènes, les matelots soûls, depuis le simple soutier jusqu'au capitaine coiffé d'un chapeau melon. Ces filles
et les Chinois, leurs compères, constituaient les deux
ornements de Poplar, il y a dix ans ou quinze ans.

On trouvait encore dans Poplar, il n'y a pas longtemps — je crois que l'établissement existe toujours —,
un curieux bar-dancing, tenu par M. Charlie
Brown, célèbre par ses collections d'ivoire. M. Charlie
Brown était, quand je l'ai connu, un gros petit
homme à moustaches et à triple menton. Il portait,
bien entendu, des pantalons, mais dont les jambes
étaient très courtes et le fond immense, des pantalons de clown. Il était fort intelligent et connaissait quelques histoires qui ne manquaient pas de
caractère. On vendait chez lui de la bière. On
consommait debout dans le fond d'une salle qui ressemblait à l'arrière-boutique d'un brocanteur. Il est
inutile de vous avouer que j'ai passé quelques nuits

chez Charlie Brown, au milieu des docks, parmi ceux
qui vivotent des docks. Il connaissait ma profession.
Je me rappelle bien ces nuits. Autour de moi, il y
avait des filles éternellement ivres, vêtues comme vous
ne pouvez vous l'imaginer et qui dansaient de même
que des poupées mécaniques. Des hommes les soutenaient galamment, des hommes dans le genre de
tous ceux qui fréquentent ce genre d'établissement,
c'est-à-dire des combinards, des figurants et des gens
très bien. Je peux dire que le bar de Charlie Brown
me donnait l'impression d'une sorte de Lapin Agile,
le Lapin à Gill, si vous aimez mieux, celui de Montmartre, comme il était une dizaine d'années avant
la guerre. Les habitués de Charlie Brown venaient
de plus loin. Ils se recrutaient parmi ces gens qui
vont de Londres à Colombo dans l'espoir de trouver
un repas chaud.

Ce peuple de la nuit qui rôde dans Poplar se retrouve, vous le savez bien, à Hambourg, à Anvers
et dans les grands ports du nord de l'Europe. Les
paysages de brumes lui donnent une certaine distinction littéraire. Le jour disperse tous ces fantômes.
Car ce ne sont, en vérité, que des fantômes qui suivent
momentanément leur destin sous les grandes lampes
électriques de Commercial Road. Ces fantômes,
d'autres que moi, Stevenson, par exemple, les ont
retrouvés sur les plages des îles océaniennes, qui me
donnent l'impression d'être assez accueillantes. On les
retrouve encore en marge des vieux grimoires de
police. Leurs traditions bornées, pittoresques et féroces, quels que soient les changements de décor,
restent les mêmes. Dans le port de Londres, dès le
chant du coq, ou plus exactement, dès le premier
coup de marteau d'un chaudronnier sur une tôle
sonore, les fantômes rentrent dans leur propre mystère. Les uns se confondent avec la foule anonyme

des dockers, les autres, le sac sur l'épaule, regagnent
leur bâtiment. Quant aux filles, elles dorment et font
peut-être des rêves qui donnent de l'attrait à leur vie.

Oui, les grands docks du port de Londres absorbent
tout ce film à la faveur du jour. Il ne reste plus
rien des images de la nuit.

Las de traîner mes pas sur des trottoirs déserts,
je rentrais chez moi, bredouille et découragé, et j'as-
sistais au lever du jour sur la Tamise. C'était comme
le chant triomphal d'une cité incommensurable où le
commerce prend un aspect à la fois solennel et poétique, si l'on considère la poésie comme l'embellisse-
ment artificiel d'un sentiment inavoué. Je revois dans
ma mémoire le premier tableau du jour qui se déroule
dans les fumées de la Tamise à travers un jeune
et faible soleil rose. Les pompiers qui appartiennent
à la Marine éteignent les derniers feux nocturnes du
haut de leurs pompes alertes et écarlates. Un lent
cargo délesté domine le fleuve. Il va vers la mer,
vers les sept mers, prolongement des docks de Londres, au hasard de la rose des vents qui porte à
ses pointes un morceau du drapeau britannique. Ah!
mon cher et patient auditeur, que j'éprouve de mélancolie à dérouler pour moi ce film documentaire.

C'est donc une nuit dans ce quartier de Poplar
que le passé vint brutalement se mettre en travers
de ma route. Un peu avant dix heures du soir j'étais
sorti d'un « pub » où j'avais l'habitude de boire une
pinte et de manger une tranche de viande saignante
avec quelques pommes de terre. Ce n'était pas très
loin du bureau de police de Whitechapel où je
devais retrouver le sergent Fyster, un de mes amis
de la corporation. Il pleuvait. Je me hâtais, le col
de mon pardessus relevé, quand j'éprouvai la sensation professionnelle que quelqu'un me suivait. Je me
retournai et, en effet, j'aperçus, au bout de la rue,

sur le même trottoir, la haute et corpulente silhouette
du suiveur. Je ne pouvais apercevoir son visage
car, lui aussi, à cause de la pluie, avait relevé le col
de son pardessus, plus exactement d'une gabardine
beige considérablement avachie. Je m'arrêtai et
l'homme traversa la rue. Puis il s'arrêta à son tour,
et rattacha un lacet de soulier. Alors il se retourna, et
sans hésiter je me dirigeai vers cet homme qui revint, lui aussi, sur ses pas jusqu'à une sorte de
ruelle dans laquelle il entra. Je pris le milieu de la
chaussée pour atteindre également cette ruelle. L'attitude du bonhomme m'inquiétait. Arrivé à la hau-
teur de la ruelle, je m'arrêtai, essayant, de mon mieux
et à distance, d'explorer l'ombre des portes. Je
ne vis rien, ce qui me décida à faire quelques pas
et à me rapprocher de l'entrée de cette impasse qui
me paraissait équivoque. Ma main tâtait machinalement la crosse de mon browning dans la poche de
mon pardessus. Je n'eus pas à en faire usage. Un
petit jet de feu troua la nuit. Je sentis que j'étais
touché à l'épaule, car je ne pus sortir de ma poche
mon pistolet tout armé. Deux détonations claquèrent
encore. Je dus m'appuyer contre le volet de fer
d'une boutique et j'aperçus, tout d'un coup, la
silhouette massive mais singulièrement ingambe de
Père Barbançon. Il fuyait comme un rat le long du
trottoir.

Trois coups de revolver, la nuit, dans les rues de
Londres, ça ne s'imagine pas. De tous côtés des
policemen accoururent, puis un groupe de cockneys,
deux ou trois femmes, des chômeurs, deux soldats de
la garde irlandaise.

J'entendis vaguement le bruit confus des voix des
badauds qui discutaient l'attentat. Et puis je me
sentis glisser dans une chute molle, irrésistible, vers
le centre même de la terre.

Résultat, monsieur, deux balles : une dans l'épaule et une autre, heureusement bloquée par une côte. Il est inutile de dire qu'on ne retrouva pas Père Barbançon. Je ne fis rien non plus pour aider la justice. Cette vieille histoire brestoise ne pouvait guère m'être utile dans mes rapports avec la police anglaise. Je mis un bœuf sur ma langue et je me promis, tout en guérissant, d'abandonner, dès que je le pourrais, le port de Londres, puisque j'étais reconnu et, pour cette raison, définitivement brûlé. Je connaissais assez Père Barbançon pour me convaincre qu'il ne s'en tiendrait pas à cette démonstration.

VII

SOUVENIR DE LA SIGNORINA BAMBÙ

C'est au service des Britanniques que je partis pour
Barcelone, sitôt remis de mes blessures. L'Intelligence
Service qui est une fort belle institution, aussi peu
sentimentale qu'on peut le rêver, pensait m'utiliser
provisoirement. Dans ce célèbre institut de la curiosité, le mot provisoire est un mot d'ordre. On ne
peut pas dire qu'on est engagé pour le restant de
ses jours quand on entre en contact avec un des
pions anonymes de ce jeu. On fait partie de la bande
tant que ceux qui dirigent la bande ont besoin de
vos services. Ça peut durer huit jours comme ça peut
durer vingt ans. L'homme qui me mit en rapport
avec X... de l'Intelligence Service était un jeune écrivain qui fréquentait une sorte de club défraîchi
où l'on discutait chaque soir, dans un décor très
simplifié, sur l'utilisation future de l'homme considéré comme une petite machine moins perfectionnée
qu'il ne le pense. Je dus, avant d'être le héros d'une
mission plus pittoresque, subir quelques discours et
boire du thé avec de jeunes artistes des deux sexes
qui connaissaient Montparnasse et se contredisaient
en l'appréciant. Que de charmantes jeunes femmes aux
yeux doux perdaient leur temps dans ce club froid.

Enfin ça ne me regarde pas. De fil en aiguille, toujours par les mêmes procédés, toujours en présence
des mêmes personnages plus énigmatiques qu'intelli-
gents, on me remit un passeport pour l'Espagne qui,
à cette époque, il n'y a pas longtemps, était encore
ornée d'un roi. Je devais visiter quelques ports espagnols, m'entendre avec des initiés, et m'occuper particulièrement de fournir des amorces aux Rifains par
des moyens qui n'étaient pas dépourvus de romanesque. Mon rôle consistait, seulement, à livrer les
amorces. On ne me demandait pas de les promener
à travers le Rif et surtout de leur faire franchir la
frontière du Maroc français. Cela regardait ces mes-
sieurs de Tétouan et de Tanger, qui n'est une ville
franche qu'en principe.

J'entrai dans Barcelone au matin. Le paysage ur-
bain qui s'offrit à moi, dès la sortie de la gare, ne
me procura aucune émotion. C'est en dehors de ce
quartier que le véritable Barcelone, dont la gloire
littéraire me tourmentait, devait m'apparaître. J'étais
tranquille, car je savais que je ne serais pas déçu. Un
taxi me conduisit jusqu'à mon hôtel dans la calle de
San Pablo, un petit hôtel calme et discret, dont la
patronne, une Luxembourgeoise, m'accueillit aimablement. Elle devait être au courant de bien des choses,
mais elle ne fut jamais indiscrète. Par la suite, j'ai
su qu'elle était de la confrérie. Elle connaissait quelques détails sur Mata-Hari et la manière dont elle
fut arrêtée. La patronne de cet hôtel s'appelait
Mme Lordeau.

C'est naturellement dans le Barrio Chino, qui est
en train de disparaître, que je fis mes premiers pas
dans la ville. J'étais fatalement poussé à y séjourner
le jour, la nuit, non pas dans le but de godailler
dans ces « boîtes » à dockers ou à étrangers, mais
afin d'entrer en relation avec l'élément populaire et

révolutionnaire dont les projets pouvaient m'intéresser.

Le Barrio Chino présentait deux aspects qui semblaient se fondre dans une même misère, mais qui se
différenciaient absolument. Les gitanes éhontées, qui
souriaient pour la satisfaction lubrique de la clientèle de passage, ne pouvaient se comparer aux pauvres
femmes qui peinaient dans la résignation pour élever
toute une théorie de mômes que le climat protégeait,
malgré tout. La misère dans ce quartier était effroyable.
Dans tout ce quartier derrière la caserne d'artillerie, le Cuartel del Atarazanas, on vivait pour rien,
de rogatons infâmes. On s'habillait de loques. Les
femmes les plus heureuses étaient encore les prostituées. Et il ne faut rien exagérer. Certains soirs dix
femmes guettaient, sans pudeur, un fond de bouteille
abandonné par un consommateur délicat ou repu.
Elles s'injuriaient pour s'emparer d'un verre encore
plein. Je ne les ai jamais vues manger. L'alcool nour-
rissait la plupart d'entre elles. Tout cela à quelques
mètres de la Rambla de Sainte-Monique, qui, bien
souvent, au petit jour a vu pirouetter un homme
touché par une balle ou par la lame d'un couteau.
Crime politique naturellement. Pour moi, le Barrio
Chino était une image à peu près parfaite d'un enfer
sud-européen. Pour respirer, j'allais m'asseoir dans un
fauteuil d'osier sur les ramblas et là je regardais
défiler la vie en respirant l'odeur des canas et en
écoutant chanter les canaris. Quelles belles jeunes
femmes! Je m'émerveillais de les voir passer en bandes
joyeuses, se donnant le bras comme de braves petites
ouvrières qu'elles étaient. Elles rembarraient avec autorité les galants qui tentaient d'exagérer. Ça faisait
rigoler les jeunes soldats en béret et en uniforme kaki
qui sont tout à fait nombreux à Barcelone, particulièrement sur les ramblas et dans le Paralelo qui est
à la Reeperbahn ce que la Sprée est à la Seine.

L'homme, l'honnête commerçant à qui je procurai des amorces de cartouches s'appelait Joan Labet. Il habitait rue du Cid Campeador et tenait commerce de soda. Il possédait une cinquantaine de petites voitures qu'il louait à des pauvres diables. Ceux-ci s'en allaient à travers la ville vendre leur soda, sur le Paralelo, sur les ramblas, de la place de la Catalogne à celle de la Paix. Naturellement, ce commerce peu rémunérateur, et qui faisait tout juste vivre le loueur de voitures, n'était qu'un « parapluie », comme on dit, pour cacher un autre commerce plus important et plus lucratif.

Joan Labet était riche. Il possédait des terrains près de Ceuta et des maisons de rapport à Ceuta même, tout cela au nom de sa femme qui était une créature jalouse et dévouée. Pour sa jalousie, elle pouvait l'apprécier dans la solitude, car Joan Labet la laissait seule fréquemment. Il est d'ailleurs fort rare qu'une jeune femme espagnole suive son mari, pas à pas. Cette attitude ridicule pour l'homme ne convient qu'à des petits commerçants endimanchés. Enfin, chacun son goût. Je n'habitais pas Barcelone pour m'occuper des histoires de mœurs populaires ou bourgeoises. L'affaire que je menais n'était pas sans danger et il m'arrivait, parfois, en prenant mon bain, de contempler avec mélancolie les deux cicatrices, souvenir du Père Barbançon.

Pour mes affaires, je passais la matinée dans mon petit bureau de Barceloneta dans la calle de Alegrina. Je n'avais que quelques pas à faire pour aller déjeuner chez Soler où je me délectais de langoustes à la tomate fraîche. Pour tout le monde, je passais pour un exportateur d'oranges. Je combinais avec un courtier de Valencia et ma profession était assez bien maquillée.

Mes nuits se contentaient du Barrio Chino. Je couchais avec une petite danseuse du Paralelo. Elle

était naïve et surtout elle était saine, ce qui lui
donnait une valeur inestimable. On l'appelait La Chulapona, je n'ai jamais su pourquoi, car elle se tenait
relativement tranquille. C'était une môme brune et
dorée, une petite fille de Sans, née derrière la prison.
Elle me rappelait par certaines attitudes la signorina
Bambù qui avait parfumé ma vie à une époque où
elle était encore susceptible d'être parfumée au béné-
fice de ma sentimentalité.

La Chulapona dansait jusqu'à minuit. Ensuite elle
endossait son terne petit manteau, se coiffait d'une
cloche fatiguée et venait me retrouver dans un café
très discret de la calle Mediodia au coin de la calle
del Arco del Teatro. Cette boîte assez paisible n'était
point surveillée par la police des filles. Quelques révo-
lutionnaires sombres et loquaces y mangeaient du
jambon presque noir et du riz sauté à la poêle. Mon
compère Joan Labet y recevait ses vendeurs de boissons fraîches et réglait ses comptes avec eux, attablé
dans un coin. Après quoi nous jouions aux cartes et
nous devisions sur l'avenir du roi d'Espagne qui me
paraissait vraiment compromis.

Joan Labet connaissait bien la vie secrète de Barcelone. Il avait fait de l'espionnage pendant la guerre,
pour le compte des Allemands. Barcelone pouvait être
considérée, à cette époque, comme la foire internationale des espions. Sur les ramblas ils se coudoyaient,
se dévisageaient et s'estimaient au plus juste prix. Il
y avait là des Allemands, des Anglais, des Autrichiens,
des Belges, des Turcs, des Suisses, des Italiens, des
Français, des Portugais qui n'étaient mus que par
une idée : acheter un bon document et le revendre
cher à qui-de-droit. Tous les cafés des ramblas étaient
bondés d'espions, plus ou moins décoratifs. Les
femmes étaient nombreuses pour qui les intentions des
grands états-majors n'étaient plus des secrets. Tout

au moins elles le laissaient croire. Le nombre de
filles légères qui furent fusillées est assez important.
La plupart pensaient encore, la veille de leur exécution, que toutes ces histoires n'étaient, comme on
dit vulgairement, que de la rigolade. Elles s'écrou-
laient stupéfiées. Toutes n'étaient pas de cette essence.
Quelques-unes connaissaient le jeu : ses pertes et ses
gains. Elles connaissaient, dans l'un ou l'autre cas,
les deux pôles de leur destin. Elles étaient rusées, cou-
rageuses, cruelles et plus coquines que les hommes.
Naturellement, toutes ces qualités sociales se dissimu-
laient dans un corps et sous un visage séducteurs.
Joan Labet avait soupé avec la plupart de ces dames.
Et c'est ainsi qu'il en vint à me parler tout doucement, un soir, de la signorina Bambù, dite encore
Mademoiselle, pour moi seul.

Son histoire se déroulait comme un film dont j'étais
l'un des rares à subir le charme sentimental. Pendant
la guerre, Mlle Bambù vivait dans un bel appartement ancien près de la place Royale. Des mozos de
Escuadra, dont le poste n'était pas éloigné de sa demeure, promenaient leur singulier uniforme de pos-
tillons devant ses fenêtres. On ne pouvait rien imaginer de plus « vieille Catalogne ». Bambù passait
pour une riche Cubaine. Elle donnait des fêtes, recevait des attachés militaires des quatre points cardi-
naux et naturellement des espions des deux sexes à
pleins salons. Cette jeune femme travaillait toujours
pour l'Allemagne. Cette fidélité me surprit. Joan Labet
ne fréquentait pas chez elle. Son aspect décoratif
l'associait à des manifestations plus humbles : celles
de la rue et du Barrio Chino. Mais par des intermé-
diaires il était au courant des actes de la belle métisse.
Il savait qu'elle travaillait ainsi pour le même
patron. Quelquefois la signorina Bambù apparaissait
sur le Paralelo, sans interrompre son rôle. Elle était

suivie par une foule de soupirants oiṣifs en apparence, mais trop occupés en secret, dont elle craignait
les galanteries. L'exemple de Mata-Hari fulgurait la
nuit dans la solitude des espionnes. Beaucoup se dé-
goûtèrent du métier vers cette époque. La signorina Bambù n'était point de celles-là. Un beau
matin d'été, Joan Labet remarqua que tous les volets
de l'appartement de la signorina Bambù (on l'appelait à Barcelone Mrs. Anita Wood) étaient clos. Pour
l'ordinaire, à cette heure, la femme de chambre s'af-
fairait. Joan Labet revint dans l'après-midi. Il aperçut la cuisinière en longue conférence avec deux ou
trois braves femmes du quartier. Elles entrèrent chez
un marchand de fruits. Joan Labet les suivit et demanda des oranges. Pendant qu'il choisissait, il entendit ce qu'il voulait savoir. Madame n'était pas rentrée
depuis trois jours... Madame était sortie avec trois
hommes, une voiture fermée attendait à la porte...
On ne l'avait plus revue... Elle n'avait point laissé
d'ordres... Tout ceci rayonnait comme un meurtre.
Un mois se passa. Il fallut bien se rendre à l'évidence.
Mrs. Anita Wood, ou plus exactement la signorina Bambù avait été attirée dans un piège à rats.
Il ne pouvait être question ni d'un départ subit ni
d'une fugue. La première hypothèse pouvait se
contrôler. Joan Labet apprit donc ce qu'il voulait
savoir, c'est-à-dire que notre amie était en France,
sur le chemin d'un champ de tir du Sud-Ouest. Elle
fut, paraît-il, fusillée avec les honneurs militaires en
usage. Quand on apprit la nouvelle à Barcelone, il
fallut bien garder pour soi un tourment qui était sincère. Ce n'était pas l'agent N° Quelconque que l'on
devait regretter, mais la gentille jeune femme qui passait vers onze heures sur les ramblas, les bras chargés
de fleurs et suivie par son bulldog qu'elle appelait
Pums. Un type anonyme, qui ne craignait pas de

se compromettre, fit dire une messe dans l'église de Nuestra Señora de Belen. Il pleura tout seul dans son mouchoir sous le regard surpris de quelques espions qui le mirent en observation. Ce n'était qu'un amateur, un homme sensible et qui n'appartenait pas à la guerre, un homme que les circonstances rendaient immoral et que je ne peux que désapprouver. Car il faut bien avouer que la malheureuse Bambù avait récolté ce qu'elle avait semé. Celle-là appartenait bien à la guerre. C'était son bureau.

Vous comprendrez que le récit, bien qu'inexact, des dernières aventures de Mlle Bambù me plongea dans une profonde mélancolie. Mon chagrin appartenait à la littérature. Je recherchais la lecture de tous les livres qui s'occupaient de la vie publique, sentimentale ou secrète des espionnes, sans distinction de parti. Une sorte de lubricité spéciale me tenait en haleine, un fétichisme érotique qui me dominait et me contraignait à rechercher le plaisir charnel dans les bras d'une espionne, ou d'une femme quelconque qui me paraissait se rapprocher de ce type. Heureusement pour moi, cette folie ne dura pas longtemps. Je regrettais trop, en vieillissant, mon propre passé pour être l'esclave de celui d'une femme.

Le souvenir de la signorina Bambù se fondit tout naturellement dans les miens. Encore aujourd'hui, il me hante, il revient, mais ne dépasse pas les limites de son rôle dans mes méditations sur ce sujet. Pour être exact, je devrais dire que ce souvenir se mêlait encore aux miens, il y a trois semaines. Depuis cette date, j'ai fait la paix avec moi-même et je ne regrette plus rien.

Mes histoires d'amorces pour les cartouches d'Abd-el-Krim ne tournèrent pas à mon désagrément. J'étais protégé par la faveur de quelques généraux de l'armée espagnole qui opéraient, en misant sur deux tableaux,

aux dépens de leurs hommes, bien entendu. C'est
à cette époque que j'entrai en relation avec Kleim
qui avait été légionnaire comme moi. Celui-là est au
bagne. C'était un aventurier curieux, d'une sombre
énergie. On dit qu'il fut vendu par une femme. Peut-
être. On est toujours vendu par une femme lorsqu'on
possède une valeur marchande. Moi je n'ai pas de
valeur marchande, malgré ma fortune, d'ailleurs toute
récente. Je suis riche et l'on m'appelle simplement :
Capitaine Hartmann.

VIII

MÉDITATIONS
RUE DE LA SAVONNERIE

Vous connaissez Rouen, son admirable port pétrolier qui ronge, chaque jour de plus en plus, les vertes prairies qui bordent la Seine. Depuis longtemps, les brebis de Mme Deshoulières ont été transformées en gigots. J'en parle sans passion, car je n'aime pas le mouton. Pour cette raison, j'aime mieux un bidon de pétrole qu'un gigot d'agneau. Je ne ferais donc rien — si je le pouvais — pour empêcher la verte campagne, entre le transbordeur et La Bouille, de céder, chaque jour, de larges tranches grasses de son domaine au profit de l'eau qui dessinera un bassin de plus. C'est un grand et beau port que celui du pétrole, bâti comme pour narguer le passé devant une ville médiévale, jalouse de ses anciennes formes et de son origine nordique. La France n'est vraiment une nation latine que pour se donner un genre qui lui plaît, sans doute. J'ai vécu à Rouen plusieurs fois dans ma vie. La première fois, c'était il y a longtemps, quelques mois avant de connaître à Naples la pauvre signorina Bambù. Celle qui a été « ratatinée », comme on dit place Pigalle, par les fusils d'une section de service. Je vivais à Rouen, au pair chez un drapier de la rue

des Carmes, afin d'apprendre le commerce et le français. Je fréquentais le Théâtre des Arts et j'étais sévère comme tout le monde quand il s'agissait d'un
début. Le port de Rouen, depuis cette époque, a fait
un bond gigantesque par-dessus des paysages charmants. Dans quelques années, il rejoindra Le Havre
et Paris. Entre Paris et Rouen, il n'y aura plus, au
bord de la Seine, que des quais chargés de tous les
instruments classiques qui en font l'ornement.

Les cargos de haut bord vidés de leurs marchandises
dominaient la *Petite Provence* où je me chauffais béa-
tement à la terrasse d'un café. J'imaginais Jeanne la
Cavalière dans ce décor. Elle passait sur le pont Cor-
neille, à cheval, une main sur la cuisse, suivie par
un trompette d'artillerie, joufflu et goguenard. Un
film sur Rouen, tourné entre le passé et l'avenir, ne
devrait pas négliger ces détails. Il n'y a pas très longtemps, je fus envoyé à Rouen, après une réintégra-
tion plus qu'honorable dans les cadres de la Police.
J'avais encore de nombreux amis dans la grande bâtisse voisine de l'Alexander Platz. On me confia une
mission qui me rappelait celle qui m'avait été confiée à
Londres quelques années auparavant. Vous connaissez
l'histoire détaillée des crimes de Düsseldorf. La conclusion que nous connaissons en amoindrit l'intérêt
et surtout le mystère. A cette époque, on ne savait
rien de la personnalité de ce maniaque. On l'appa-
rentait à Haarmann le « charognard » hanovrien et
à Jack le Meurtrier. Sur une dénonciation qui pouvait paraître intéressante, on m'envoya donc fouiller
les rues de Rouen, celles qui accèdent au port fluvial
à partir de la rue de la Savonnerie. Je m'étais présenté comme accordéoniste. Un homme qui tient un
accordéon dans ses bras et qui sait s'en servir
ne craint pas grand-chose et peut passer partout. Je
savais jouer de l'accordéon pour mon bonheur. Je

fis l'acquisition d'un instrument parfait, un Italien
magnifique qui rutilait sous les lumières comme un
trésor de poésie foraine. Ma boîte à la main, correctement vêtu, rasé de frais, cravaté d'un foulard blanc,
un feutre gris bien posé à l'angle voulu, je suivis la rue
des Charrettes sans incident. A l'angle du Théâtre des
Arts, j'hésitai. Devais-je me diriger franchement vers
les quais ou prendre devant moi la rue de la Savonnerie? Un dancing, éteint à cette heure, m'indiqua
la route à suivre. Je crus entendre des voix. Elles
parlaient l'argot du bas peuple de Berlin. Ce n'était
d'ailleurs qu'une hallucination professionnelle. C'est
ainsi qu'il m'arriva de passer tout naturellement devant l'*Océanic Bar*. Devant la porte se tenait le patron :
le fameux Canadien. C'était un homme d'une force
exceptionnelle dont le visage rappelait celui de
M. Edouard Herriot. Le « Canadien » humait l'air
de la rue, devant son bar amarré le long du trottoir.
Il me vit et m'appela. Nous bûmes un verre de vin
blanc et je fus engagé pour jouer le soir même à
l'heure de l'apéritif. Le Canadien était un grand
connaisseur. Il aimait l'accordéon, il en comprenait la
poésie populaire et savait reconnaître un jeu réellement savant. Son accordéoniste, l'excellent Le Bordelais, était au repos, un repos qui lui tenait la gorge
sèche. Succéder au Bordelais n'était point une petite
affaire, car cet artiste sensible connaissait son instrument et la faveur du public (celui du bar et celui de
la rue) lui était acquise. Enfin, je pus le remplacer
tant bien que mal. Le Canadien devint un ami. C'était
un homme loyal, mais qui savait se défendre. A
cette époque il était déjà célèbre. Un écrivain français, M. Renaudin, avait même écrit un livre sur ce
géant sensible à la musique et qui avait connu la
lutte pour la vie, un peu sous toutes les latitudes.
Il en était de même pour L'Oseille, son barman. Je

retrouvai là, parmi ces braves gens, dont la vie me paraissait magnifiquement colorée, le vieux Rouen de ma jeunesse, à une époque franche et rude où j'étais tendre et courtois comme un pigeon.

J'habitais non loin de l'*Océanic Bar*. Je jouais à l'apéritif et le soir à l'heure du souper. La clientèle n'était point celle où j'espérais retrouver mon fugitif monstrueux. Les gens qui fréquentaient l'*Océanic* appartenaient au meilleur monde, au monde qui est sensible à la camaraderie de la nuit, qui est une camaraderie littéraire dont la distinction est contagieuse.

Dans la journée, je recherchais, de mon mieux, l'égorgeur de filles de la banlieue de Düsseldorf. Et je ne trouvais rien. Je savais, d'ailleurs, que je ne trouverais rien. Mais j'aimais ma vie à l'*Océanic Bar* et je prolongeais le plus possible cette charmante situation sociale d'accordéoniste virtuose en adressant des rapports mensongers qui devaient tenir en haleine la curiosité de mes chefs.

Je me couchais à l'aube. Je dormais jusqu'à neuf heures comme une brute. Je descendais rapidement pour boire un verre de café, fumer une cigarette et je remontais vivement dans ma chambre d'hôtel, rue des Espagnols. Naturellement je vivais à la manière de mon rôle. Ce n'était pas toujours agréable. J'étais alors âgé de cinquante ans et j'avais pris des habitudes conformes à mon âge et à ma situation aisée.

Je peux me plier à toutes les disciplines. Pour cette raison je passe assez allégrement à travers les surprises d'une époque où personne n'est sûr de sa table et de son lit.

Dès mon café bu, je revenais dans ma chambre et je me couchais en fumant des cigarettes. Alors je rêvassais. J'essayais de m'intéresser à ma mission. Ma mission me séduisait, en principe, mais je savais que je perdais mon temps à Rouen. Or Rouen me prenait

au cœur. J'étais comme englué dans l'amicale inactivité de mes nuits. Je dédiais, par contre, mes rêveries à mes préoccupations d'inspecteur de la Sûreté.
La police de Rouen ne me connaissait pas. Je travaillais seul, ce qui n'était pas dans mes habitudes.
Mes matinées étaient hantées par des silhouettes d'assassins qui n'étaient point tous vulgaires. Dans mon
esprit, il existait, pour notre temps, quatre maîtres
de la terreur publique, quatre metteurs en scène de
films prodigieusement immondes. Je les voyais ainsi
dans l'ordre chronologique : Jack l'Eventreur, Landru,
Haarmann et X..., l'égorgeur de Flehe et son cortège de filles et de fillettes vidées de leur sang. La
petite Lentzen et la petite Harmacher, mortes et
livides, un doigt sur leurs lèvres pâles, me faisaient
signe de les suivre. Les frêles petites assassinées me
chuchotaient : « Venez, nous allons vous montrer le
« Monsieur » qui nous a tuées. »

A cette heure, cher ami, je me revois comme j'étais
dans mon lit à l'*Hôtel des Vikings*, le crâne bourré
d'hypothèses sanglantes, naturellement ignobles. Jack,
Landru, Haarmann et X... de Düsseldorf se tenaient
devant moi, soumis et perfides comme des assassins
déjà pris dans l'engrenage de la condamnation à mort.
Etaient-ils encore vivants au moment même de leur
arrestation possible? C'est fait, tout au moins, pour
les trois derniers. Qu'il est difficile de les toucher du
doigt! Ces quatre noms appartiennent beaucoup plus
à la littérature qu'à la réalité, tout au moins pour
ceux qui se font une opinion très limitée de la réalité des faits et des spectacles de l'existence sociale des
hommes. Jack l'Eventreur, Landru, Haarmann de Hanovre et le mystérieux assassin de Düsseldorf servirent
le même maître : le démon des pensées secrètes. Ce
personnage incomparable et multiforme donne une
jeunesse toujours renouvelée au romantisme de la

rue, de la plaine et des bois. Il apparaît parfois dans
les spectacles de l'imagination comme un acteur rusé
de faible stature. Il est habile, arrogant, lamentable
et ingambe. Des détails de visage qui, chez d'autres,
seraient simplement vulgaires — comme la lividité du
teint —, deviennent pour lui les éléments mêmes de
la terreur moité qu'il inspire. Sa force naît de son
infamie et de la cruauté épouvantablement inconsciente
de ses instincts.

La véritable incarnation de celui qu'on nomma Jack
l'Eventreur fut celle à qui Stevenson donna le nom
d'Edouard Hyde. Vous connaissez l'étrange histoire d'un
personnage de la bourgeoisie décomposé en deux
principes : celui du mal et celui du bien. Jekyll
ignore, pendant le jour, ce qu'Edouard Hyde, son
double sinistre, peut imaginer au cours de la nuit.
Le châtiment commence précisément au moment
même où les deux personnalités du même homme
peuvent se comparer et se juger réciproquement.
Jack l'Eventreur disparut peut-être, impuni par les
hommes, le jour où il eut pleine conscience du joug
indestructible qui peuplait ses nuits de cadavres
éventrés.

Jack l'Eventreur aurait révélé, paraît-il, sa véritable
identité, avant de mourir dans un quelconque hôpital
des Etats-Unis. Le mystère demeure, cependant, in-
tact, gonflé d'horreur et de suppositions, tel qu'il était,
il n'y a pas si longtemps, quand il faisait galoper
d'effroi, la nuit venue, les filles publiques dans le
quartier de Whitechapel. En ce temps-là, Whitechapel
était encore un quartier mal famé comme Montmartre,
la Chapelle et Belleville pouvaient l'être il y a
soixante-dix ans. Ce n'était pas l'honnête ghetto actuel,
mais un bloc de maisons sordides où la misère inventait pour aider à la damnation un pittoresque
presque inimaginable. Les filles publiques habitaient

Petticoat Lane et Houndsditch, entre Algate et Bishops-
gate. Petticoat Lane est devenu Middlesex Street. Mais
dans la police on garde encore le souvenir de Jack.
On sait que cette grande porte cochère en bois, dans
Worthworth Street, ferme la cour où fut trouvé le
cadavre de la première victime de l'Eventreur. Ce
monstre fameux faisait songer à l'homme invisible de
Wells. Il tuait avec une rapidité suffocante, puis il se
fondait dans le brouillard. Il pouvait choisir entre
Mayfair et les basses rues de Poplar pour reprendre
sa silhouette normale. La terreur régnait dans les
quartiers populaires de Londres. Elle était semblable
à celle qui fait frissonner les filles et les femmes de
Düsseldorf quand le vent se plaint et gémit, pour
certaines raisons, tout de même. C'est un témoin
des spectacles gluants qui se déroulent dans les terrains
vagues et les prairies solitaires hantés par les insomnies
des exécuteurs des Hautes Œuvres.

Il est facile d'imaginer tout ce qu'on voudra au
sujet de Jack l'Eventreur. A mon avis, c'était un
homme à peu près « normal » durant la journée.
« Sa » nuit achevée, peut-être se montrait-il bon
père, bon époux.

Tout autre fut Landru. Cet homme surprenant sut
dissimuler son trouble. La justice condamna et guillo-
tina un Landru qui n'était pas absolument l'homme
de la petite maison de Gambais. Le Landru qui
vivait la nuit devait se transfigurer jusqu'au point
où l'abomination cesse d'avoir une signification précise. Celui-là aussi devait entendre les voix qui se
mêlaient à celle du vent quand il faisait osciller
les lilas de Gambais. On m'a parlé des mains de
Landru. Un témoin m'a dit ce qu'il pensait du visage
de cet homme qui luttait contre d'autres hommes
pour des souvenirs dont il ne parvenait pas à reconstituer l'importance. Le malentendu entre la justice et

les criminels est souvent formidable. Les uns et les
autres ne parlent pas la même langue. Les criminels,
particulièrement, quand la folie érotique les domine,
vont au supplice sans avoir bien compris ce qui leur
échoit. Il est bien entendu que la justice n'a pas à
se préoccuper de ces détails, puisqu'elle se doit de
protéger la collectivité contre tous les éléments de
mortification, qu'ils viennent de la flûte ou du
tambour.

Landru, bien que chacun puisse revoir son visage
devenu populaire, demeure un personnage du mystère et de l'ombre criminelle. Tel qu'il est, il représente l'ordre et l'économie, deux vertus inoffensives
mais transposées dans un domaine où le sang ruisselle
clandestinement.

Or, c'est l'Allemagne qui devait nous offrir encore
un grand compagnon de la mandragore, plante créée
par les derniers sursauts d'un pendu : Haarmann, le
boucher de Hanovre, et l'assassin des kermesses de
Düsseldorf. Hanovre est une ville où l'on trouve
de tout : des quartiers opulents, triomphe du ciment
armé romantique, et des ruelles où, soi-disant, on
voyait des restaurants qu'Haarmann fournissait de
viande humaine. Une pauvre femme à qui le président
du tribunal demandait si elle avait acheté de la
viande à Haarmann, répondit comme en s'excusant :
« Oh! non, nous n'étions pas assez riches, nous
n'achetions que des morceaux d'os pour faire la
soupe. » Le mystère effroyable n'est pas dans les
abysses où vivent les poissons aveugles, mais dans les
profondeurs encore inexplorées de la misère humaine,
et il est difficile d'y pénétrer sans avoir fait le sacrifice d'une série de choses que nous considérons tous
comme essentielles. Autour d'Haarmann gravitaient
des larves d'une matière particulièrement répugnante,
telle était Dorchen, cette petite prostituée à chair

de poisson lépreux, et M. Hans, inverti à la tête
de clown assassin. C'est celui-là qui gémissait derrière
la porte, cependant que le boucher, en état de crise,
étranglait sa victime : « Fais attention..., ah! maudit,
tu vas encore abîmer le veston! » Pour bien saisir
l'horreur que de semblables êtres peuvent créer, il
faut les suivre jusqu'au moment où, le regard clair
et l'esprit satisfait, ils se reposent, par exemple, dans
une promenade publique, comme tout le monde, sous
le soleil honnête.

Etait-il de cette essence, le terrible maniaque de
Düsseldorf? A mon sens, il les dépassait tous. Sa folie
l'élevait effroyablement au-dessus de toutes les hypothèses que peut suggérer un criminel. Il était rusé
au-delà de toute exception. Sa ruse était comparable
à celle de ces aliénés qui, il y a quelques années,
trouvèrent le moyen d'ouvrir toutes les serrures de
sûreté de l'asile où ils étaient enfermés avec des
clés qu'ils avaient fabriquées dans le fer-blanc
de vieilles boîtes de conserves. La logique des
fous dépasse les limites de notre pauvre imagination.
L'imagination de l'assassin de Düsseldorf était parfaitement inhumaine. Elle n'offrait aucun rapport avec
les mesures dont se servent les hommes pour évaluer
la qualité d'une imagination. Ce n'était peut-être
qu'un prodigieux idiot à face bénévole. En dehors de
la minute suprême où tout chavirait en lui, à cette
minute où le mauvais maître des arrière-boutiques
cérébrales se courbait sous sa loi, ce n'était peut-être
qu'un inoffensif crétin dont l'imagination travaillait
sans répit. C'est souvent dans le crâne cimenté des
imbéciles que les aventures les plus folles prennent
naissance. L'aventure! Ce mot est riche en malé-
diction. Ce n'est pas sur les honnêtes pistes de la
terre tropicale ou arctique qu'on peut en rencontrer
les limites. L'aventure est dans l'homme. Elle est illi-

mitée. Le sang en est l'effroyable révélateur. Le sang,
qui est un mot noble, doit céder, dans ce cas, la
place au mot allemand « Das Blut », plus épais, plus
tragique, plus riche en images immondes. « Das
Blut », création des larves rampantes qui mordent
nos talons dans les petites rues sans nom des petites
villes sans nom qui règnent sur les événements de
minuit.

Ce genre de méditation devrait modifier l'aspect
des policiers. Il n'en est rien. Nous ne sommes plus
des personnages dont l'extérieur est exceptionnel. Les
policiers qui sont dominés par l'imagination sont de
mauvais policiers. La véritable aventure policière est
machinale et la plupart des romans policiers ne ra-
content à leurs lecteurs que des aventures de machine ou proposent à leur perspicacité des problèmes,
des charades, des devinettes à résoudre, en dehors
de la vie.

A vivre ainsi avec des personnages imaginaires, je
perdais peu à peu le sens de la réalité. Je le sentais
nettement. Et c'est au port de Rouen que je demandais
un miracle : celui de me mettre en présence de valeurs humaines universellement reconnues. Quand on
vit avec des fantômes on ne peut vivre sur le pays.
Il n'est donc pas nécessaire de voyager. A Rouen,
comme à Naples, comme à Londres, à Brest ou à
Barcelone, j'étais venu avec mes fantômes. Je me
faisais l'effet d'un directeur de cirque ambulant. Je
prenais la tête de mon convoi de roulottes bourrées
de phénomènes; je m'installais sur la place publique
et je montrais mes phénomènes au public. Les lumières
éteintes, je rentrais avec mes marionnettes et celles-ci
m'imposaient leur vie et les décors de leur vie. Dans
tous les ports d'Europe où ma destinée me conduisait,
je retrouvais, dans la foule ou dans la solitude de
ma chambre d'hôtel, les mêmes clowns, les mêmes

acrobates, les mêmes équilibristes, les mêmes écuyères, les mêmes monstres de la ménagerie humaine où se jalousaient les femmes à barbe lettrées, les hommes-troncs lubriques, les sœurs siamoises haineuses et les moutons à cinq pattes enragés. Moi, au milieu de cette société rabougrie, je n'étais qu'un Barnum : un Barnum poète, un Barnum espion, un Barnum de la police, un Barnum dont les goûts secrets tendaient plus spécialement à donner une coloration au gibier qu'il traquait. Un assassin présenté par moi devenait un sujet de foire, une vedette pour grande représentation sur un théâtre forain. Ce n'était vraiment pas ce que je cherchais en acceptant l'argent de la société qui me confiait ses intérêts.

Un soir, sans faire mes adieux, je disparus du bar de la rue de la Savonnerie. Je portais dans mes bagages quelques souvenirs de plus, de très vieux souvenirs rajeunis, un lot de chansons nouvelles, faciles à retenir. Je sifflotais un air qui me torturait le cœur sur le quai d'une gare déserte en attendant le train qui venait du Havre.

Je pus me glisser, sans avoir été vu, dans un Pullman qui m'emporta vers Paris. La vision célèbre du port de Rouen se dessina encore une fois devant mes yeux. Je ne pris pas le temps de me reposer à Paris. J'avais hâte de regagner Hambourg, mon vrai domicile. Je revenais les mains vides sans trop me préoccuper de ce que je pourrais raconter à mes chefs.

J'avais appris une chanson étourdissante d'amertume sentimentale, une de ces jolies chansons des rues où tout se mêle, où l'amour des fillettes est égal à l'importance divine de la rue. Je jouais cette valse sur mon accordéon. Devais-je faire entendre cette chanson à mes chefs et les enchaîner à mes propres souvenirs? Cette tentative me parut saugrenue.

A Hanovre, j'acceptai pleinement les conséquences de mon inactivité policière. J'étais riche d'une chanson de plus, une chanson sur un air de valse...

La petite que j'avais plaquée salement rue de la Savonnerie s'appelait Marcelle.

IX

TROISIÈME VERSION
DE LA MORT DE BAMBÙ

Ce n'est pas Joan Labet qui me fit connaître la fin exacte de Mrs. Anita Wood, autrement dit, en d'autres lieux, Mlle Bambù, la signorina Bambù. L'affaire, continua Capitaine Hartmann, me fut contée à Tétouan, dans le hall de l'hôtel Alphonse-XIII, au milieu d'un concert donné par trois douzaines de canaris chanteurs d'un prix déconcertant pour ceux qui ne sont point au courant de la valeur des canaris.

L'homme qui me conta la fin d'Anita Wood était un gros jeune homme, au visage marqué par la petite vérole. C'était un personnage inquiet, pétri dans l'inquiétude des fins de guerre : il paraissait peu sûr du sol où ses pieds se posaient.

Tout ce que j'avais dû collectionner de ragots sur la fin logique de la signorina Bambù ne pouvait m'apaiser. A travers cette coquine à la peau dorée, ma propre jeunesse m'attirait, ma jeunesse médiocre et violente. Un certain sens de la morale me vint avec la fortune. En ce temps-là, quelques semaines avant mon départ pour Rouen, j'ignorais, sans méchanceté d'ailleurs, qu'il existât une morale sociale

dont les lois pouvaient devenir logiques malgré leur
sévérité.

Ce jeune homme qui avait servi dans une bandera
casernée à Xauen dans la montagne, à la suite de
la mort de Mrs. Anita Wood, me permit de reconstituer les derniers jours de celle qui fut mon
mauvais génie, mais également l'élément poétique
d'une grande partie de mon existence. En fumant ma
pipe, à peine distrait par la virtuosité des canaris
de l'hôtel, je pus reconstituer le film dans tous ses
détails. Et c'est ainsi que de document en document
il me devint possible d'imaginer et d'ordonner ce qui
suit, afin de débarrasser définitivement mes histoires
de la présence de cette énergumène de couleur dont
l'activité fut réellement infernale.

Je savais où elle avait habité. Les ramblas
bruyantes nourrissaient ses projets. Il me suffisait de
fermer les yeux pour voir... C'était une certaine nuit
d'été... dans l'odeur éblouissante des canas. Par sa
fenêtre ouverte toute grande sur la gaie rumeur qui
montait de la ville, Mlle Alice Z..., danseuse martiniquaise dans une boîte du Paralelo, contemplait les
ramblas et les lumières de la place de Catalogne. Un
pli soucieux et mélancolique aux commissures des
lèvres lui donnait le visage d'une jeune femme bou-
deuse.

La mission de Mlle Alice, agent double au service
de la France, touchait à sa fin. Sa mission heureusement remplie, il ne lui restait plus qu'à transporter
en France les documents, quelques feuilles de papier
pelure, astucieusement cachés. Ce n'était pas le plus
facile. Dans quelques heures, Alice prendrait le train.
Elle saurait enfin quelles seraient les chances de sa
réussite quand la station de Gérone serait franchie.

La jeune femme était inquiète, agacée. Elle ne
tenait pas en place. Elle ferma la fenêtre sur le bruit

des tramways et le bourdonnement de la foule qui remplissait le boulevard fameux devant le théâtre. Encore quelques heures avant d'atteindre l'aube : son train devait partir vers six heures du matin. Il était minuit... Mes renseignements sont précis mais exacts.

Mlle Alice savait qu'elle ne pourrait pas dormir. Elle prit un journal et tenta de lire. Les lettres dansaient devant ses yeux. Il lui sembla entendre dans l'escalier et sur le palier devant sa porte un bruit de pas prudents. Elle se leva, tendit l'oreille et s'empara d'un petit pistolet automatique dissimulé sous un des coussins du divan.

Elle n'entendit plus rien. Toujours armée, elle ouvrit la porte de l'appartement. Le palier était vide. Elle constata, après s'être penchée sur la cage de l'escalier, qu'elle n'apercevait rien de suspect à l'étage en dessous.

Elle revint s'asseoir; et les événements des jours qu'elle venait de vivre si dangereusement se déroulèrent dans sa mémoire comme un film dont elle ne parvenait pas à estimer l'étrange réalité. Elle avait pu dévaliser le coffre-fort du chef de l'espionnage allemand dont elle était l'idole un peu teintée. Elle s'était emparée du chiffre et c'est ce précieux papier qu'elle devait faire passer en France avant la fin du jour suivant car, dans quelques heures, avec le retour de Von... je ne sais plus qui, le vol ne tarderait pas à être découvert. C'était pendant l'absence de ce dernier, parti pour Ceuta, que Mlle Alice avait pu accomplir le cambriolage qu'elle préparait depuis plus d'un an. Tout le monde pensait qu'elle était au service de l'Allemagne, et Alice souffrait terriblement de l'attitude des gens devant elle. Il fallait boire le calice jusqu'à la lie : souffrir et servir. Une femme, une seule, lui avait témoigné de l'amitié. Elle s'appelait Anita Wood. C'était également une fille de couleur.

Mais comme celle de Mlle Alice, sa peau était claire
et dorée. Alice ne connaissait pas la nationalité de
cette souple danseuse qui se disait Martiniquaise.
C'était possible. C'était une amie dévouée et d'apparence peu curieuse : une femme frivole et sensuelle,
grande et souple comme l'était Alice. Leurs silhouettes
étaient celles de deux sœurs. Mais l'une, Alice, était
blonde malgré son sang mêlé, tandis que Mrs. Anita
Wood était brune. Alice ne s'était jamais confiée. Elle
savait se méfier et connaissait les dangers rapides et
définitifs de sa profession. Sans qu'elle pût se donner
quelques bonnes raisons, elle se raidissait toujours un
peu quand Anita apparaissait à côté d'elle souriante
et à pas feutrés. « Tu ne fais pas plus de bruit
qu'une souris », disait Alice. Anita Wood riait doucement et ne répondait pas. Mlle Alice ne l'avait
pas prévenue de son départ.

« Toujours se méfier, songea Alice, cela dessèche
le cœur. »

A ce moment, on sonna à sa porte. La jeune femme
fit un bond, prit son pistolet qu'elle dissimula dans
son corsage. D'un pas résolu, elle ouvrit la porte dont
la chaîne de sûreté était mise.

« Ah! c'est toi, Anita? Entre. »

Anita ne souriait pas. Elle entra et Mlle Alice
vit qu'elle tenait une valise à la main.

Anita paraissait bouleversée. Alice la fit asseoir.

« Qu'y a-t-il?

— Je vais te dire, Alice... J'appartiens à l'Intelligence
Service et je pars demain matin, car je sais de source
sûre que je suis brûlée ici... Tu sais ce que cela
veut dire... tôt... ou tard.

— Ah! tu es de l'Intelligence Service?

— Oui, pardonne-moi de ne point te l'avoir dit...
mais la méfiance... c'est professionnel : une déformation
professionnelle.

— Ah! » fit Alice.

Elle réfléchit un peu et, tout de suite, elle dit :
« Oui, je te comprends, car moi-même j'appartiens
à l'espionnage allemand. »

Anita fit preuve d'une grande surprise et Mlle Alice
la regarda curieusement sans qu'il fût possible à son
amie de lire dans sa pensée et de découvrir l'angoisse
qui la laissait presque sans voix.

Cela ne dura que deux ou trois minutes, et
Mlle Alice déclara :

« Moi aussi, je pars pour la France dans quelques
heures. Nous voyagerons ensemble.

— Cela me réconforte, fit Anita.

— Excuse-moi, ma chérie. Je te laisse seule. J'ai
congédié ma servante. Ne bouge pas d'ici. N'ouvre à
personne... Tu es en sûreté dans cet appartement. Je
serai de retour dans une heure. Il faut que je me
fasse voir pour dissiper des soupçons. »

Mlle Alice se coiffa, embrassa son amie et, après
lui avoir une dernière fois recommandé de ne pas
ouvrir, ferma sur elle la porte à double tour. Puis
elle descendit avec bruit un et deux étages. Elle fit
claquer la porte de la rue, et, à pas de loup, remonta
les deux étages qu'elle venait de descendre. Doucement elle ouvrit une porte secrète qui donnait dans
un cabinet noir d'où l'on pouvait voir ce qui se
passait dans le grand studio où elle avait laissé Anita
seule et désespérée, affalée comme une loque sur le
divan. Par une ouverture habilement ménagée, Alice
vit ce qu'elle voulait constater et ce qu'elle désirait
tenir pour une certitude.

Le visage de la métisse, transfigurée, devint celui
d'une femme farouche, rusée et méchante. Elle fouillait
soigneusement, en personne avertie, dans la valise
préparée par Alice. Puis, déçue, elle fit le tour de
la pièce. Avec précision, une précision qui remplit

le cœur d'Alice d'une sombre épouvante, elle examina certains objets... les bougies d'un piano qui étaient creuses, le balancier d'une petite pendule et le bouton de faïence de la porte. Anita le dévissa. Il était vide. Elle le remit en place et se mordit les lèvres.

Mlle Alice en avait assez vu. Elle s'échappa tout doucement, redescendit silencieusement l'escalier. Quand elle fut dehors, elle se mit à courir. Elle s'arrêta dans une petite rue tranquille, devant la boutique ouverte d'un marchand de curiosités.

« Bonjour, Paul, fit-elle.

— Tu as quelque chose de sérieux à me dire?

— Oui, fit Mlle Alice, cela sent la mort.

— Tu peux parler, nous sommes seuls. Si quelqu'un entre dans la boutique, tu marchanderas ce sac à main. »

Alors Mlle Alice raconta ce qu'elle avait vu dans son appartement.

« Tu as bien fait de venir, répondit calmement M. Paul. J'ai su, il y a une heure, par D. 55, qu'un attentat était préparé contre un agent français dans le rapide de Paris. J'ai cru que ce n'était qu'une blague. Je ne savais pas que tu devais partir ce matin... Après ce que tu m'as dit, je pense que tu es menacée. Ne pars pas ce matin.

— Il faut absolument que je parte ce matin, répondit Alice. Seulement, vous pourriez peut-être faire ceci... Expédiez par le train de six heures, deux hommes sûrs, prêts à tout... Ils s'arrangeront pour faire peur durant le voyage à ma compagne...

— Tu as une compagne?

— Oui, la plus dangereuse des espionnes au service de l'Allemagne.

— Bon sang!

— Vos deux agents, je le répète, ficheront la frousse à ma copine en lui faisant entendre qu'elle est re-

connue... Bon... Maintenant, voici l'essentiel. Envoyez
à Gérone votre grosse Mercédès avec deux hommes
de choix. Ceux-ci ne devront pas hésiter à faire disparaître la femme qui leur donnera le mot de passe :
« Colombe. » Il faut la faire disparaître... Cette
femme sera vêtue probablement comme je le suis en
ce moment... oui, si tout va bien... Si tout va mal,
personne ne descendra à Gérone... Faites partir
immédiatement la voiture et les hommes... Adieu.

— Adieu, que la chance te favorise!... Mais tout
sera exécuté selon tes ordres. »

Alors M. Paul regarda sans doute sa montre et
prit le téléphone.

A cet endroit de son récit, Capitaine Hartmann
s'interrompit, peut-être pour ménager l'effet de sa
conclusion. Il reprit tout aussitôt :

« Elles étaient donc seules dans le compartiment.
Mlle Alice parla la première. »

« On sait, ma chère Anita, que je suis au service
de l'Allemagne. Je ne pourrai donc franchir la frontière française. Je descendrai à Gérone où une voiture m'attend qui me fera passer par une route tenue
secrète. Deux hommes m'attendront à la gare! Le mot
de passe est « Colombe ». Je ne peux te dire de
venir avec moi, car ces hommes, sachant que tu es
au service des Alliés, te mettront la main au collet. Ils
possèdent mon signalement, car ils ne me connaissent
pas de vue. Ils savent que je suis colorée et vêtue
comme je le suis en ce moment. Voilà. Ici nos destinées nous séparent.

— Je pourrais te dénoncer, fit Anita froidement.

— Non, ma chère, car tu serais brûlée ici... Nous
savons l'une et l'autre à quoi nous en tenir sur nos
situations réciproques... et puis... je t'aime bien... tu
ne m'as jamais tiré dans les jambes.

— C'est vrai, dit Anita Wood.

— Tout ce que je te demande, dit encore Alice,
c'est de surveiller le wagon. Il y a du monde, quelques
hommes dont peut-être nous pourrions nous méfier
l'une et l'autre. »

Anita réprima un sourire.

« Tu as raison », dit-elle.

Elle disparut dans le couloir. Mlle Alice, debout
devant son compartiment, la regarda s'éloigner.

Elle demeura ainsi plus d'une demi-heure. De sa
place, elle voyait Anita qui, adossée contre la porte
du wagon, celle qui accédait à l'autre voiture, semblait
écouter attentivement. Mlle Alice marcha vers elle.
Cependant, elle revint sur ses pas et rentra dans son
compartiment, car Anita, d'un geste impérieux, lui
avait fait signe de ne pas avancer.

Elle n'attendit pas longtemps. Mrs. Wood entra dans
le compartiment. Son visage était pâle. Elle dit simplement.

« Je vais mourir... Il y a là deux hommes qui sont
chargés de m'exécuter. Que faire?... Je ne pourrai pas
passer la frontière française...

— Il n'y a qu'un moyen, dit Mlle Alice, un seul :
Changeons de vêtements. J'ai dans ma valise une perruque blonde. Tu la mettras... La couleur de notre
peau, par un hasard merveilleux, fait de nous deux
sœurs. Moi, je ne crains rien. Mes papiers sont en
règle et je me ferai reconnaître à la frontière... Ce
n'était pas dans mon programme, car une voiture
devait m'attendre à Gérone. Les hommes chargés de
me faire passer la frontière connaissent mon signalement et le mot de passe qui est : « Colombe. » Tu
prendras ma place et tu seras sauvée. Changeons vite
de vêtements, dans une heure nous serons à la frontière. »

Avec hâte, mais avec des gestes adroits et précis,

elles changèrent de vêtements. En quelques coups de ciseaux, les cheveux noirs d'Anita tombèrent. Alice les lança par la portière. Anita Wood se coiffa de la perruque blonde. Ainsi elle fut toute semblable à sa compagne.

Les deux femmes se regardèrent en souriant. Puis Anita prit une petite glace dans son sac et se regarda minutieusement : « Extraordinaire », fit-elle en rangeant la glace. Et toutes deux, sans parler, attendirent.

Dehors, il pleuvait. La pluie ruisselait contre les vitres. Dans le couloir, deux hommes suspects allaient et venaient devant la porte du compartiment. Le train s'arrêta à Gérone. Sans dire un mot, Anita descendit, sa valise à la main. Alice n'eut pas un regard pour elle. Une portière claqua et le train reprit sa marche.

Capitaine Hartmann s'arrêta encore une fois. Il m'offrit une cigarette. — « Où en étais-je donc ? » dit-il. Il simula une indifférence assez vulgaire et continua son histoire.

L'auto prévue roulait dans le jour gris et maussade. La montagne sauvage semblait l'écraser. De loin, elle grimpait le long du ravin comme un coléoptère têtu. Anita Wood regardait le paysage lugubre et, devant elle, le dos des deux hommes : le conducteur et son compagnon.

A un moment, la pluie redoubla de violence et la voiture s'arrêta. Un homme descendit et vint ouvrir la portière arrière.

« Mademoiselle, voulez-vous descendre. Nous nous sommes trompés de route et mon ami, pour tourner, va effectuer une manœuvre difficile. Descendez, ce sera plus prudent. »

Anita Wood descendit. Ses jambes engourdies par
le froid la supportaient mal. Elle n'eut pas le temps
de voir venir la mort.

Elle sentit contre sa nuque le froid d'un objet de
métal et tout de suite s'écroula sans jeter un cri. La
détonation du pistolet automatique roula d'écho en
écho.

L'homme, son pistolet fumant au poing, attendit
que le bruit s'apaisât. Il releva le corps de la jeune
femme et le lança dans le ravin; puis il reprit sa
place dans la voiture dont le moteur tournait doucement...

« Est-ce bien moi qui viens de parler? fit Capitaine
Hartmann. Je ne reconnais plus le son de ma propre
voix. »

Il tapota machinalement le bout d'une cigarette
contre le dos de sa main. Puis il la glissa dans sa
poche.

« C'est net comme un rapport de police, dit-il.
Pas de fioritures, pas de couleur locale. C'est ce qui
s'appelle une véritable fin sans prolongement, une
fin sans pitié pour les poètes d'un certain âge, comme
moi. Anita Wood, ou mieux, la signorina Bambù est
donc morte de cette manière pour avoir trouvé chaus-
sure à son pied, c'est-à-dire une autre personne remplie d'attraits mais encore plus adroite qu'elle. »

Capitaine Hartmann reprit sa cigarette dans sa
poche et l'alluma :

« Il y a des gens qui ont peur de la vie, dit-il...,
ce ne sont pas les plus naïfs. »

X

FIN SENTIMENTALE DU CAPITAINE

ME voici de nouveau à Hambourg. Libre cette fois. Libre? Peut-être, mais certainement libéré de toute contrainte professionnelle. Il est inutile de vous raconter, par le menu, l'origine de ma fortune. Ces histoires n'intéressent que ceux qui en profitent. Elle est d'ailleurs banale, comme je vous l'ai dit. Un parent, un frère de mon père que j'avais perdu de vue, prit soin de m'assurer un très agréable avenir. Je ne sais ce que cet avenir vaut en poids et en volume. Je suis riche, certainement riche pour ce qui me reste à vivre, c'est-à-dire, pour un optimiste, une dizaine d'années, au plus. Dix années diaboliquement brèves. Je suis déjà happé par la descente rapide vers la fin. Vous aussi, d'ailleurs.

Bref, voici trois mois à peu près que je vis ici dans ce confortable hôtel qui est une ville composée en studio. J'aime cette grande avenue d'où j'aperçois le Binnen-Alster, aussi poétique que le lac d'Amour à Bruges. On m'honore. On m'appelle Capitaine Hartmann. C'est bien le nom qui convient, car je suis un vrai capitaine d'inquiétude et d'activités secrètes. Plusieurs générations sont nées dans la poésie trouble et vulgaire qui précéda la guerre. Tout cela cessa,

en fait, quand votre Moulin-Rouge prit feu. Ce fut
le premier désastre de la Grande Guerre, en ce sens
qu'il indiquait la fin d'une certaine forme de la
poésie des rues. Les rayonnements émis par la fille
et son maquereau, son Ludwig, nous parviennent encore et nous émeuvent, nous, et nous seulement, bien
que les causes de ce rayonnement soient mortes dans
cet incendie. La destruction du Moulin-Rouge équivalait à l'autodafé de quelques centaines de bouquins.
Aujourd'hui la valeur sentimentale de ces livres est
périmée et j'en souffre, comme vous devez en souffrir,
bien que vous soyez, je pense, plus jeune que moi
d'une dizaine d'années. Je suis heureux de vous avoir
rencontré à Hambourg, qui est une ville hanséatique,
une ville franche, c'est-à-dire une ville où les sentiments passent en franchise.

C'est pour cette raison que j'ai choisi Hambourg
afin de tenter une expérience libératrice. J'ai réussi.
Et vous serez peut-être le seul à comprendre que
ce ne fut pas sans un grand déchirement de l'intelligence et du cœur.

Ici, devant les embarcadères de Sankt-Pauli, ma
personnalité s'est anéantie. Maintenant, je ne suis plus
qu'un homme, candidat à la mort, comme tous les
autres hommes qui pénètrent dans cette période de
renoncement qui précède l'anéantissement.

En m'installant dans un hôtel de la Neuer Jùngfernstieg, le portefeuille bien garni, à l'abri des génies
financiers, j'étais encore l'ancien homme de Naples, de
Palerme, de Londres, de Barcelone et de Rouen.
Bien vêtu et sec de corps, ma silhouette ne me dé-
goûtait point quand, par hasard, je l'apercevais dans
une glace.

C'est avec bonheur que mon nez huma les brouil-
lards de l'Alster et de la Bille, mêlés aux fumées
épaisses qui s'échappaient de tous les vapeurs de

l'Elbe du Nord. Le charme flamand de là vieille ville reposait mes nerfs usés par les roueries de la police et de l'espionnage. J'aimais à entendre le parler dur de cette ville et je dégustais l'aventure, la mienne, sur la Seemanstrasse, devant des boutiques de shipchandlers pleines des accessoires de ma propre mélancolie. Fumer un cigare, pour un homme de mon âge, est un plaisir qui gagne quelques rangs dans l'échelle des valeurs sensuelles. Je ne connaissais personne dans cette ville. Ceci me plaisait et flattait mon goût pour l'inconnu sous toutes ses formes, à la condition qu'elles fussent sociales. Je bavardais avec le portier de l'hôtel, avec le barman et ma femme de chambre, qui était souple, distinguée et très correcte... toujours correcte.

Un jour que je fumais à ma fenêtre, un peu avant le crépuscule du soir, je sentis que des forces nouvelles rajeunissaient ma peau, mon visage, mes yeux, mes lèvres trop molles. Je me regardai dans une glace et je me plus avec un peu de surprise, car, la veille encore, mon visage m'avait paru terne, ridé et sournoisement sénile. Tout en chantonnant, je revêtis un complet gris clair en étoffe souple et chaude, un complet très simple et très riche. Je me coiffai d'une casquette de même étoffe et après avoir endossé un imperméable, je sortis de chez moi l'œil vif, le nez mobile et les muscles prêts à toutes les détentes. Naturellement, il pleuvait. Le chasseur allait se ruer à la conquête d'une voiture, quand mon bras l'arrêta dans son élan. Non... Non..., je n'avais pas une gueule à me clore entre les quatre parois d'un vil taxi. J'étais jeune et je désirais le grand air, la pluie sur mon imperméable, sur mon visage. Je voulais entendre tous les bruits de l'Elbe, le grincement des tramways et surtout le bruit de mes propres pas sur les trottoirs.

Le col de mon imperméable relevé, je descendis vers la rue Herrlichkeit et je frissonnais d'aise. Il me

semblait que mon corps se frôlait à toute la rue. Je
regardais en m'arrêtant les gentilles dactylographes qui
revenaient de leur travail. Toutes les lampes de la
rue se reflétaient dans l'eau des canaux et sur
l'asphalte glissant. La nuit était tout à fait venue
et enveloppait Hambourg, le Hambourg du travail,
de la poésie, des gangsters, des voyous millionnaires
suivis de leur garde du corps. Mœurs américaines qui
s'étendent jusqu'à Marseille, où les gangsters tiennent
également le haut du pavé, dans la grande vie de
minuit.

Je tirai ma montre, une belle pièce que je ne
possède plus. Il était sept heures. J'avais faim, une
bonne faim juvénile. Il me fallait pour la satisfaire
un restaurant simple. Je désirais manger sans
contrainte, sans attitude spéciale devant les maîtres
d'hôtel, les garçons, les sommeliers, mes voisins et
mes voisines en tenue et en robes de soirée. Je hélai
un taxi qui s'arrêta devant moi dans un glissement
doux, presque complice. « Allez, dis-je... vers Sankt-
Pauli. Vous m'arrêterez dans la Schmùckstrasse, quand
je frapperai aux carreaux. »

La voiture roula comme une vraie voiture de
maîtres, dans l'éclair des tramways, le long des autres
voitures qui me parurent remplies de vie jeune et
mystérieuse. Je chantonnais toujours, parce que cette
chanson répondait à ma jubilation : « L'amour va,
l'amour vient... » Je m'imaginais l'accordéon sur les
genoux, attirant vers moi tous les rythmes coquins
de la rue, distribuant aux jeunes filles publiques une
aumône sentimentale d'un incomparable attrait. Je
retrouvais à chaque tour de roue qui me poussait
dans le quartier populaire, l'odeur de ma jeunesse,
et des filles qui en tenaient encore la poésie délicate,
comme une branche de lilas, une branche lourde de
ces attendrissants petits lilas qui poussent dans la

banlieue des villes. Je fis arrêter mon taxi devant un
gai restaurant de modeste apparence. Sans aucune
raison, je décidai que je dînerais là, parce qu'une
poussée de jeunesse me dirigeait et que je désirais
me mêler familièrement à la vie du soir, comme
c'était quand j'avais vingt ans sur la marina à Naples.

Je m'assis devant une table près de la baie vitrée
qui me permettait de voir la rue. Il y avait peu
de convives : des employés du port, pour la plupart.
Devant moi une petite femme brune, très genre polo-
nais, une jeune femme aux yeux doux mangeait sa-
gement sans regarder autour d'elle. Elle m'aperçut
cependant, et comme je lui souriais, elle répondit à
mon sourire. Elle se leva, son repas terminé, et sortit.
Je me hâtai de payer et je la vis qui attendait à
quelques pas plus loin au coin d'une rue. Elle me
guettait sous la pluie. Je lui demandai de me tenir
société pour la soirée, elle accepta : « On m'appelle
Lia, et je suis Polonaise, dit-elle. Et vous?

— Appelez-moi Capitaine Hartmann, dis-je, et ne
vous tourmentez pas; la nuit sera bonne pour nous
deux.

— Prenons un taxi pour aller à l'*Eden,* dit-elle
encore.

— Non, marchons, voulez-vous; marchons, je vous
achèterai des souliers neufs. Mais ce soir, je veux aller
partout, partout où vous trouverez des amis et où
j'en trouverai moi-même. Je connais la vie, Lia, vous
pouvez m'en croire... Autrefois, je vivais ici, entre la
Marktplatz et la Reeperbahn. Rien ne peut me surprendre, car, je le présume, rien n'a dû changer. Vous-
même, Lia, vous ressemblez à toutes les petites amies
que j'ai connues par ici avant mon départ.

— Afrique? Amérique? » interrogea Lia. Et sans
attendre ma réponse, elle ajouta : « Je connais un
« lokal », ce n'est pas loin d'ici...

— Lia, nous allons d'abord parcourir la Reeperbahn. Il ne pleut pas. Jette ton parapluie qui te va mal... Je t'indemniserai. » Je la tutoyais.

Elle ne voulait point jeter son parapluie. Je lui glissai un billet à l'intérieur de son gant. Alors elle posa avec précaution son parapluie dans l'encoignure d'une porte. Elle soupira. Visiblement elle regrettait cet accessoire ridicule.

Nous entrâmes dans un grand dancing où d'une table à l'autre on pouvait se téléphoner impunément de menues cochonneries. Lia était gênée. Son petit tailleur d'étoffe légère bleu marine semblait étriqué. Mais sous sa petite cloche de feutre, elle valait toutes les autres parce qu'elle était gentillette et jeune, incontestablement jeune. Des femmes lui proposèrent par téléphone des combinaisons sensuelles. Lia reprit son assurance. Elle but du champagne, devint toute rose et se mit à chanter pour elle seule en ronronnant. Cette boîte chaude et luxueuse ne révélait qu'une grande médiocrité. Je réglai l'addition. Lia me suivit vers le vestiaire. Je sentais déjà que le champagne bu me troublait.

« Allons, enfant, relevez la tête, marchez franchement, vous valez bien tous les gens qui sont ici. »

La femme du vestiaire toisa Lia des pieds à la tête. Ma petite Polonaise paraissait vraiment intimidée. Elle franchissait ce soir-là dix années de sa vie et pénétrait par hasard dans le domaine luxueux des vieux hommes et des vieilles ardentes couvertes de bijoux. Tout ce monde correct et congestionné devait lui paraître terriblement vieux. Moi, à cause du champagne qui agissait déjà, je pénétrais à grandes enjambées dans le domaine de la jeunesse.

Lia me proposa un cabaret qu'elle connaissait bien parce que ses amis y venaient la nuit après leur travail. Elle ne disait pas quel travail. Ce fut dans la Langestrasse, je crois, que nous découvrîmes la porte de cet Eden. Une porte de cave à moitié enfouie sous terre. Par la porte ouverte, défendue par un portier assez robuste, des relents de bouillon de poulet montaient par bouffées tièdes, selon le va-et-vient de la porte du couloir, plus bas que la chaussée.

« C'est là », me dit ma compagne.

Nous entrâmes, précédés par une serveuse. Tous les visages se tournèrent dans notre direction. Au milieu de la salle quatre accordéons gémissaient doucement en attendant que le silence fût rétabli pour l'arrivée de la chanteuse. Nous nous installâmes. Lia commanda du champagne. Ici elle était chez elle. Elle reprenait un peu de son autorité professionnelle. La chanteuse pénétra dans le cercle de lumière dessiné sur le sol aux pieds des quatre accordéonistes qui préludaient par des accords puissants dont les sons me bouleversèrent. Et, tout de suite, la chanteuse qui ressemblait à Maria Ney chanta la vieille chanson : *In Sankt-Pauli bei Altona...*

Elle fut applaudie et les accordéons commencèrent la valse fameuse : la *Seemantlos walz*. La chanteuse avait pris un mégaphone et sa voix vulgaire mais émouvante nous encanaillait de la tête aux pieds. Lia battit des mains et je levai ma coupe en l'honneur de Scilly Schwarz la chanteuse. Ah! tout recommençait comme autrefois : les mêmes hommes, les mêmes femmes, les mêmes chansons. Je buvais et mille lampes s'allumaient dans ma tête. J'étais devant un poste de réceptions radiophoniques mais pour ondes mortes.

Lia chantonnait en remuant les jambes comme une gosse. Elle avait faim. Nous bûmes du bouillon de poulet, nous mangeâmes des huîtres, des saucisses et des tartines de pain bis beurrées. Et nous bûmes. Je « tenais » la bouteille comme autrefois avec les

bersaglieri à la table de la signorina Bambù, avec
les Suisses de Barcelone, les matelots de Limehouse
et L'Oseille, le barman du Canadien.

« Eh là... criai-je... chantez-moi... Non, je vais vous
chanter la chanson du 1er étranger en 1906... Youpaïdi...
Youpaïda... Attendez... Ah! »

Ma mémoire n'obéissait plus à mon enthousiasme.
Les accordéonistes, qui d'abord paraissaient m'encou-
rager, rangeaient, maintenant, leurs instruments dans
des mallettes doublées de flanelle rouge.

Un chœur de robustes dockers, dans le fond de
la salle, près des lavabos, s'éleva peu à peu et prit
du ton. L'un d'eux cria : « Bel-Abbès... T'auras du
boudin! »

Puis ils chantèrent, les uns sifflant pour imiter
les fifres, une nouvelle chanson à la mode entre le
Guéliz et Bel-Abbès.

« Ça, vieux, c'est Dou Denib, Middelt, la route du
Ziz. »

L'homme ricana. Des charpentiers coiffés de chapeaux hauts de forme et vêtus de velours vert bouteille se levèrent pour sortir. L'un d'eux en passant
devant Lia lui leva le menton d'un doigt.

La chanson que je venais d'entendre me plongea
dans une tristesse qui s'abattit sur moi comme un
coup de poing.

« Buvez », me dit mon amie.

Je bus encore deux coupes de vin.

« Vous ne parlez plus, dit encore Lia. Pourquoi? »

Nous étions seuls dans le cabaret, seuls, c'est-à-dire
Lia la Polonaise, moi et un jeune homme au visage
fin, qui, les mains bien enfoncées dans les poches de
son pantalon, nous contemplait avec sympathie. Il
paraissait également timide et flétri.

« Lia, dis-je, demandez à ce monsieur s'il veut
boire avec nous. »

Elle esquissa un petit signe et le jeune homme vint s'asseoir à notre table. La serveuse apporta encore du vin, du vin qui commençait à m'écœurer, mais que je voulais boire parce qu'il fallait vaincre la vieillesse menaçante à grands coups de bouteille. Encore une fois, je pus reprendre le dessus et je recommençai à parler... Je ne sais plus bien ce que j'ai dû raconter. Ah! oui! J'ai dit à ce jeune homme : « Tu as de la chance de m'avoir trouvé sur ta route... Ne dis rien, ne proteste pas... Tu es désespéré, comme je l'étais à ton âge, assis à une table sans consommation, dans un cabaret que je considérais comme un abri... Lia et toi, vous êtes tous les deux un ancien jour de ma vie... un jour dont je cherchais tout à l'heure l'air de la chanson qui le caractérise dans ma mémoire. »

Le jeune homme me versa un verre de vin mousseux. Il rejeta sa casquette en arrière et dit : « Encore une bouteille, monsieur? » Il commanda.

Lia passa un crayon de rouge sur ses lèvres. Une aube affreuse se laissait deviner. Mes forces m'abandonnaient. Je ne pouvais plus lutter contre la vieillesse qui pénétrait maintenant dans ma tête et dans mon corps comme un tourbillon irrésistible, balayant de ma mémoire les images qui me permettaient de lutter.

« On va s'en aller chez Edwige », dit la jeune femme.

La femme du vestiaire nous apporta nos pardessus. Lia réclamait son parapluie... L'homme me poussait tout doucement dans le couloir, vers la rue. Dehors, c'était encore la nuit. On était en janvier : il pouvait être cinq heures du matin.

« Allons chez Edwige », répétait Lia.

Ils me soutenaient tous les deux en me tenant chacun par un bras. Je crois bien qu'il pleuvait...

Je ne sais plus du tout comment les choses se déroulèrent.

Plus tard, bien plus tard, un schupo me trouva affalé dans un hangar près du Marché aux Poissons. Je grelottais. « Que faites-vous là? » Mon âge, mon costume lui inspirèrent un certain respect.

« Allez... Rentrez chez vous! »

Il siffla un taxi, me fit monter et répéta l'adresse que je lui donnai... « Avez-vous regardé votre portefeuille? » me demanda-t-il encore.

« Oui, lui dis-je, merci... Je n'ai plus rien... j'ai tout dépensé. Je vous remercie. »

Dans la voiture je pus constater que j'avais été dévalisé proprement de tout ce que j'avais dans mes poches. Ma montre-bracelet avait également disparu.

Mais rien ne pouvait compenser la peine immense que je ressentais. Rien, rien! Car maintenant je savais bien, monsieur, que jamais plus je ne rencontrerais la petite Lia et le jeune homme qui me ressemblait quand j'avais vingt ans. Je rentrai dans mon hôtel, gonflé de chagrin. Le portier régla le chauffeur du taxi, car je n'avais plus un sou sur moi. Mais ce n'était pas l'argent volé que je regrettais. Ma fortune était bien au-dessus d'une si vulgaire aventure. Pourtant, dites-moi, monsieur, dites-le-moi bien franchement : Etes-vous sûr que je ne rencontrerai plus jamais la petite Lia et l'homme jeune qui m'a dévalisé et qui me ressemblait quand j'avais vingt ans? Etes-vous sûr que je ne les rencontrerai plus ni ici, ni à Palerme, ni à Londres, ni à Rouen, ni à Barcelone, ni...?

— Il me semble que tout est fini, répondis-je, et que vous pouvez dormir tranquille.

Janvier 1932.

PÈRE BARBANÇON

ÉVOCATION DES BANDES

PARIS, sans électricité, devenait la proie de la nuit.
Des paroles rares, mais inquiétantes, troublaient parfois le silence sournois de la ville dont les rues ressemblaient à des tuyaux mal aérés. Les rues se dirigeaient à tâtons vers des cauchemars miteux.

Après avoir téléphoné vainement d'un quelconque
cabaret afin d'obtenir une chambre dans un hôtel,
j'étais entré vif dans la nuit, pour me faufiler entre
ses menaces vers la porte d'un hôtel de Montmartre-
le-Haut, rue Cortot, je crois, ou rue des Saules peut-
être. Enfin, sur le sommet de la Butte Montmartre
prise dans le bloc d'ébonite d'une nuit vers 1942 ou
1943. Ces précisions sont bien sans importance. Mais
je pense qu'il faut, cependant, situer le cadre de
cette histoire qui se rattache à celle de la signorina
Bambù et du Capitaine Hartmann, par la présence
de Père Barbançon qui m'apprit, en des temps très
anciens, à Rouen, les premiers rudiments de la poésie
des rues hantées par les chats, les rats et les nonnains
de la Cloche.

L'hôtel qui m'ouvrit sa porte était ancien; son style
très Napoléon III associait son apparence à celle des
dames en blanc de Manet assises devant la frêle ram-

barde d'un balcon d'une inoubliable simplicité. La
dame qui m'ouvrit la porte n'était point vêtue de
blanc. A vrai dire, ce n'était pas une dame, mais
un vieux garçon de nuit, muni d'un bout de chandelle posé sur le couvercle en métal d'une ancienne
boîte de cigarettes Balto. Il me conduisit dans ma
chambre dont les fenêtres s'ouvraient sur la rue. Puis,
après m'avoir souhaité, sans doute, une bonne nuit.
il me laissa seul devant mon bout de chandelle dont
la mèche nageait dans une petite mare de graisse
fétide. Après quoi, la mèche s'éteignit et ce fut la
nuit.

Il me fallut lutter contre tous les meubles pour
m'introduire dans le lit. La fatigue m'empêcha tout
de suite de dormir. Couché sur le dos et les mains
sous la nuque, j'écoutais la nuit et ses mauvais pas
de patrouilles; le ronronnement d'un moteur alarmant.

Ma présence dans cet hôtel montmartrois m'apparut
comme un anachronisme. Des traces de ma jeunesse
se lisaient dans l'obscurité de cette chambre. Une
nuit d'hôtel, quand harassé par le temps perdu, je
connaissais le sommeil des bêtes qui ne rêvent point.
C'est ainsi que le mot bandes (au pluriel) me vint
tout naturellement dans la pensée : les bandes de
Montmartre, la bande de Rouen dont Père Barbançon faisait partie avant qu'il connût la signorina
Bambù.

Il ne s'agissait dans cette évocation, ni des bandes
de Picardie au drapeau rouge à croix blanche, ni
des bandes de Piémont au drapeau noir orné de la
même croix. L'infanterie, les compagnies d'aventuriers
français, comme on disait officiellement au xvie siècle,
se rapprochait des bandes dont le souvenir me hantait
en ce sens qu'elles se divisaient en bandes d'en deçà
ou d'en delà la Seine, comme les autres se partageaient
en deux groupes d'en delà et d'en deçà les monts.

Là s'arrête la comparaison : elle n'est cependant point sans provoquer des images assez nettes dans la mémoire de ceux qui en firent partie.

Montmartre, naturellement, abritait les bandes d'en deçà la Seine, comme celles de la rue du Pot-de-Fer dépendaient du Quartier latin. Les deux se recommandaient d'ailleurs de Villon que Marcel Schwob venait de situer dans un cadre qui nous permettait quelques rapprochements avec notre propre condition. Celle-ci était fragile et, pour ce moment, où j'écris, à peu près incompréhensible. Son pittoresque était indéniable. On ne sait par quelles provocations l'art de peindre recrutait tant de volontaires assez mal renseignés sur les exigences de cette belle vocation. A vrai dire, il n'y avait point d'écoles pour maintenir tant d'enthousiasmes et de malentendus. Les compagnons de ces bandes venaient les uns de leur lycée provincial, les autres d'une période obscure, mais sans ivresse, qui avait cependant nourri des espoirs assez puissants pour les réduire tous au même dénominateur, un dénominateur qui n'était pas commun.

Dans les ruelles de ce Montmartre, dont la gaieté n'était pas sans mélange, les grandes écoles buissonnières se tenaient en plein air, dans le vent de la rue montmartroise qui dispersait les écoliers de fortune au petit jour, à la sortie du cours. Il y avait, parmi ces jeunes hommes, ceux qui préparaient leur thèse sur l'expérience de minuit, les licenciés en fantaisie, sous la lune latine qui fardait le visage blême des Lesbie ressuscitées. Certains ne connurent Catulle ou Apulée que par la complaisance éternelle des filles que ces poètes firent immortelles : ils n'acceptèrent du passé que les monnaies sentimentales dont l'usage n'était pas aboli par les lois. On pouvait échanger cette monnaie lyrique dans la rue Saint-Vincent comme elle était au temps de sa palissade couverte d'inscrip-

tions assez vulgaires. Là se tenaient dans des attitudes
paresseuses, la pipe entre les dents, les apprentis
peintres de la bande à Roger, de la bande à Milo qui
peignait en rose lugubre les lilas de la rue Cortot.
En principe, le chef d'une bande possédait un atelier.
Il pouvait y réunir tous les éléments d'un rayonnement précoce. On ne disait pas : « Un tel est de
l'atelier Jérôme... » mais : « Un tel est de la
bande à Marcel. » Les compagnons d'une bande se
réunissaient pour parler à l'abri des intempéries,
pour aller au café, franchir le Pont des Arts, afin
de gagner le lieu de refuge de la bande de la rue
du Pot-de-Fer, dont le nom du maître n'est plus dans
ma mémoire : c'était un gai sculpteur myope vêtu de
velours vieil or et chaussé de bottes.

Je n'aimais pas revivre cette époque. Elle était
dangereuse et pour chacun le hasard choisissait les
lots. Le hasard gouvernait notre vie quotidienne ; il
en ordonnait les détails, non sans malice. Le hasard,
ivre, échevelé, courait sur notre front de bandière
comme un dieu païen chassé de l'Olympe, la paille
en croupe et le feu dedans. Ces galopades échevelées
de la fantaisie furent si stériles qu'elles ne purent
jamais produire rien de bon. On ne trouve les traces
de ces bandes que dans l'imagination mortifiée de
quelques compagnons qui purent franchir les obstacles
semés dans cette nuit incolore et bruyante. Plus tard,
bien plus tard, la colonie étrangère qui peuplait Montparnasse put reconstituer les apparences fragiles des
anciennes bandes de Montmartre. Les actes médiocres
de cette humanité, modelée par la faim régulière et
l'alcool, pourraient constituer les chapitres d'un ou-
vrage didactique intitulé : *Histoire universelle du
désespoir*.

Il est nécessaire d'avoir commis beaucoup de sottises, peut-être irréparables, pour éprouver le besoin

d'écrire un livre considéré comme la pure confession publique.

En ce temps-là, les jeunes hommes des bandes qui furent mes contemporains absorbaient la vie comme une éponge absorbe tous les liquides qui maculent, à l'aube, les tables des estaminets. Il en était de si classiques, parmi ces liquides, qu'ils parvenaient à évoquer sans effort le jardin des racines grecques et le kiosque où la musique militaire de l'Olympe jouait entre quatre et cinq, le jour des fêtes de Dionysos.

On peut songer, non sans amertume, qu'un tel départ pour les grandes galeries d'art et les nobles firmes d'édition manquait de distinction. Exposer les œuvres de la bande de la rue Saint-Vincent, éditer les premiers livres de ceux de la bande de la rue Ravignan, n'enthousiasmait guère éditeurs et marchands de tableaux. C'était véritablement prendre un mauvais départ.

Des hommes du *Mercure de France* ou de la *Revue Blanche*, on ne disait pas : « Ce sont ceux de la bande à Jarry ou à Jules Laforgue. » Certains de ces aristocrates touchaient cependant aux bandes proprement dites, grâce à la promiscuité des hôtels garnis et à la médiocrité des repas, souvent rêvés comme une aventure.

Faut-il admettre que cette appellation qui nous était familière provenait de notre fusion dans ces rues qui étaient semblables à des creusets magiques, capables de transformer en or fin les métaux les plus ternes? C'est possible. A l'époque des bandes, dont je n'apprécie plus les burlesques conquêtes, la matière dominait l'esprit et le dressait comme un cheval de cirque. L'esprit tourmenté par l'espoir des viandes lyriques nous obligeait à terminer nos études dans ces collèges de la rue qui n'accordent pas souvent leurs diplômes. Compagnons des bandes d'en deçà la Seine,

vous fûtes souvent d'authentiques fruits verts et la
conscience des impossibles maturités vous vint tôt. Ceux
qui purent s'évader de la troupe indocile, filles et
garçons, ne jouaient pas le jeu franchement. Le fil qui
maintenait les grains du chapelet n'était pas si so-
lide. Un à un, ces fils se brisèrent; les graines rou-
lèrent sur le sol où quelques-unes prirent germe et
finirent par fleurir et mûrir selon les lois naturelles
qui régissent les graines et les idées.

Il est inutile, maintenant, d'essayer de regrouper
les apparences de ceux qui servirent un ou deux ans
dans ces bandes juvéniles. Une enquête un peu sérieuse ne ferait que confirmer l'erreur qui les inspira.

Le mieux, me disais-je, est encore de confondre les
hommes et les choses, dans le décor, devenu délicat,
des rues dont ils ne lassaient jamais la tendre indulgence.

En vérité, ceux qui résistèrent le mieux aux subtiles
et désastreuses influences de la rue furent ceux que
la culture classique immunisa. La discipline des décli-
naisons latines pouvait vaincre les attaques nocturnes
d'une liberté trop enjouée. Un écolier latin n'est jamais sans grâce. Les bandes de Montmartre abritaient
beaucoup d'écoliers latins qui savaient par vieille rou-
tine les antiques gaudrioles capables de renouer la
tradition. Celle-ci était celle du fameux chemin des
écoliers, le plus long de tous, qui, de collège en collège, d'étuve au cabaret et de rue en rue conduisait
des jeunes hommes prédestinés vers leur vraie personnalité. Pour cette raison, cette vocation fut tardive.
Il n'existait point d'enfants prodiges dans les bandes.
Les mieux doués ne se donnaient même pas la peine
de se découvrir. Ils allaient, ainsi que des éponges
mobiles, se gorger de chansons, d'hypothèses saugrenues, d'aventures sans éclat, sans prévoir qu'un jour,
dans l'avenir, quelques-uns pourraient presser l'éponge

et faire jaillir la mixture capable de nourrir un
talent souvent authentique.

Le film de ma propre vie se déroulait ainsi en
images nettes, en marge de toutes les acrobaties des
Hartmann, de la signora Bambù et de Père Barbançon qui ne révélaient peut-être pas la tristesse définitive de mes pensées, littéraires et autres. Je n'avais
plus entendu parler de Père Barbançon, si ce n'est
dans les confidences sans éclat du vieux Hartmann.
Depuis l'âge de vingt-trois ans, je n'avais plus revu
ce Père Barbançon qui n'était peut-être pas celui du
Capitaine Hartmann. En vérité, les deux personnages
se mêlaient. Depuis cette dernière rencontre avec
l'ingambe fusilleur de Limehouse, j'avais acquis l'expérience de la rue et des camps militaires. Bien sûr!
Aux bandes de 1902 dont je venais de retrouver les
traces, s'adjoignirent par la suite les bataillons de
Nancy en 1914. La marche inexorable à travers le
temps perdu progressait logiquement. Les bandes de
Montmartre se retrouvèrent à Toul, à Dongermain.
C'était un jour d'été qui sentait la rue Saint-Vincent
et la route d'Ecrouves. Rose Blanche, de la rue des
Saules, portait le fusil d'un homme de la bande qui
avait confié toutes ses ambitions à son régiment d'infanterie coloniale. Les lilas des jardins de mon père
fleurissaient sur les lèvres des demoiselles de Nancy :
une chanson de route d'une distinction parfaite naissait afin de rajeunir le répertoire des casernes. A cette
heure, nous savions qu'elle naissait; mais les paroles
n'en furent jamais écrites.

Ceux des bandes qui pouvaient écrire, écrivirent,
et quelques-uns noblement : mais l'air de la chanson de Nancy était bien perdu comme le temps, le
vieux temps martelé par les brodequins d'une infanterie mémorable.

Le cours préparatoire qui ouvrait les portes des

casernes se tenait autrefois sur le mur dégradé de la rue Saint-Vincent quand « la bande à Roger » réunissait les différents aspects de sa substance. Selon l'heure, ce passé me paraît gai, comique ou plus simplement assez triste.

Sans forcer ma mémoire, j'apercevais, entre les murs de ma chambre, sur un écran plus noir que l'ébène, le lugubre défilé de la bande dans les aubes assez patibulaires de la pauvreté trop quotidienne. Des silhouettes minces, impondérables, se dirigeaient, en se heurtant les pieds aux pavés mal gracieux, vers des buts souvent piteux. Il était difficile de retrouver sa bonne étoile quand le soleil brillait. Aussi préférions-nous la nuit, complice des vêtements usés jusqu'à la doublure, pour sourire un peu à notre destin. Les uns burent jusqu'à la mort; d'autres furent brisés par la police. Quelques-uns devinrent de bons époux et, par la suite, d'honnêtes pères de famille. Très peu laissèrent un nom au fronton d'un livre ou dans l'angle d'une toile de qualité. Je pensais bien entendu aux compagnons de ces anciennes bandes de Montmartre, vers l'année 1901. Et c'est presque à voix haute que je prononçais ces mots dans le silence de mon hôtel : « Je ne connais personne, maintenant, qui puisse m'apporter un témoignage. »

Je ne savais pas si mal dire.

Au matin, après une nuit d'insomnie, je descendis, un peu livide et mal rasé, dans le bureau de cet hôtel dont je ne connaissais pas encore le nom.

Un gros homme, en forme de poire, téléphonait, le dos tourné vers moi. Il était vêtu d'un pantalon de toile grise. Ses bretelles pendaient sur un fond de culotte qui retombait presque sur ses jarrets. Il était un peu comparable à un éléphant savant mais négligé.

La pensée que j'étais en présence du très vieux Père Barbançon me fit grimacer. L'homme se retourna :

ce n'était pas Père Barbançon. Il lui ressemblait beaucoup mais paraissait plus jeune. Il semblait cordial, retors et peu enclin aux pratiques principales de la morale publique. Cela aidait à sa ressemblance avec Père Barbançon. Il s'appelait Uhle, Paul Uhle. Il pouvait être âgé de soixante ans. Dix années de moins que Père Barbançon.

PÈRE BARBANÇON ET PAUL UHLE

L'HÔTEL tenu par M. Paul Uhle paraissait construit en dehors du temps. Les soldats ennemis ne le fréquentaient point. Les clients n'appartenaient plus à l'époque. Le travail quotidien réglait la journée ou la nuit de la plupart d'entre eux. Peu de femmes, mais bien choisies : de gentilles demoiselles de modes qui attendaient que le temps fût revenu où l'on pourrait chanter dans les carrefours. Les hommes promenaient lugubrement leur activité professionnelle. Ils n'étaient point jeunes et leurs joues, souvent mal rasées, semblaient en chair de poissons bouillis. Les filles n'étaient point livides comme les hommes, car le plus terne parmi ceux-ci possédait encore trop d'imagination. La peur et la prudence les dominaient tous. J'avais peur également. Mais ma peur était plus savante qu'instinctive. M. Uhle était également un érudit en matière de peur. Il observait tout d'un petit œil cruel souvent affolé, l'œil de Père Barbançon dans l'ombre de sa boutique du quai de la Douane à Brest, quand pour la première fois il rencontra Capitaine Hartmann. Je ne tardai pas à me lier d'une sorte d'amitié avec cet homme plus âgé que moi de dix années que l'on pouvait feuilleter comme un livre

exceptionnel quand la pluie coulait dans nos veines
comme dans les égouts. Il pleuvait ainsi tous les jours.
Chaque nuit, ne sachant où diriger mes pas trop
sonores, je buvais du vin ou de l'alcool en compagnie
de M. Uhle qui m'avait adopté. De temps en temps,
il se soulevait de son siège pour tendre sa clef à
un client qui rentrait, tout en lissant d'un doigt distrait sa courte barbe grise qui était bien celle de Père
Barbançon.

Une nuit, poussé par toutes les forces de cette obsession quotidienne : Uhle-Barbançon, je ne pus ré-
sister et les paroles s'échappèrent de ma bouche bien
malgré moi. Je ne les entendis pas tout de suite, le
visage subitement modifié de M. Uhle m'en révéla le
son.

Ce n'était pas compliqué. J'avais simplement dit :
« Monsieur Uhle, vous ressemblez beaucoup à un
homme que j'ai connu et que l'on appelait Barbançon,
plus exactement Père Barbançon... »

« Père Barbançon, Père Barbançon... Vous l'avez
connu vous aussi?...

— J'ai entendu parler de lui, par un aventurier
qui, à cette heure, doit être mort. On l'appelait Capitaine Hartmann. C'est lui qui m'a parlé de Père
Barbançon, une nuit comme celle-ci que nous bu-
vions dans un damné port assez célèbre. »

M. Uhle ne répondit pas tout de suite. Il se traîna
vers un placard secret bien dissimulé par le papier
à fleurs des murs. Il y avait dans ce placard des bouteilles et des pistolets automatiques. J'eus le temps
d'entrevoir le tout. M. Uhle avait confiance. Il posa
une bouteille de cognac sur la table puis il remplit
nos verres.

Tous les clients de l'hôtel étaient rentrés. Dans la
nuit on entendait le bruit d'une auto qui gravissait
péniblement la rue Lepic.

« Père Barbançon est sans doute mort? demandai-je afin de rompre le silence.

— Il est mort », dit M. Uhle en se caressant la barbe. Puis me dévisageant tout d'un coup : « Savez-vous, monsieur Nicolas, que c'est un événement inouï que de retrouver ici, dans cette boîte sans punaises, un homme pour qui le nom du Père Barbançon puisse signifier autre chose que le souvenir d'une honnête gaudriole. »

J'abattis toutes mes cartes.

« La signorina Bambù, l'*Océanic-Bar*, Joan Labet... et la petite Lia de la rue Peter...

— Autant d'apparences..., fit M. Uhle... Mais vous connaissez bien la question. »

Notre conversation fut interrompue par le timbre de la porte d'entrée, si frénétique, que nous nous levâmes d'un même mouvement. M. Uhle ayant appuyé sur le bouton, la porte s'ouvrit et, dans l'entrebâillement, une silhouette d'homme se glissa de côté, une silhouette merveilleusement plate. L'homme referma la porte tout doucement. Il écouta un peu, cherchant un détail dans le silence de la rue. Il vint vers nous, silencieusement, car il était chaussé d'espadrilles malgré la pluie. Il était jeune, un peu hagard, et il respirait mal comme quelqu'un qui a couru très vite sans entraînement spécial.

« Avez-vous une chambre pour la nuit? »

M. Uhle le regarda bien, sans se presser.

« Je n'ai pas de chambre... Tout est occupé... Mais rassurez-vous, vous coucherez tout de même ici. »

L'homme jeune put sourire un peu.

« Tenez, buvez ceci... Cela vous remettra, fit M. Uhle en remplissant de cognac un petit verre.

— J'ai de l'argent, fit l'homme jeune en buvant.

— C'est sans importance, répondit M. Uhle, vous coucherez ici dans le lit du garçon de nuit qui est absent pour deux jours... Après... c'est encore sans importance... Il n'y a que cette nuit qui compte pour vous.

— Vous êtes un chic type..., dit l'inconnu. Remettez-moi ça... » Il jeta sur la table quelques billets... « J'offre une tournée générale. »

M. Uhle remplit les verres. Et l'homme se détendit. Son visage s'épanouissait graduellement... « Je pensais que j'étais suivi... et j'étais suivi... Alors, j'ai couru, j'ai couru... »

Cette évocation le fit rire jusqu'aux larmes.

« Ecoutez... »

M. Uhle leva un doigt. On entendit vers la rue des Saules une rumeur confuse de voix étrangères, puis le choc lourd des bottes sur le pavé.

« Déshabillez-vous vite, dit M. Uhle, et couchez-vous là dans le couloir; le lit est sous l'escalier... Oui, c'est cela... »

J'aidai M. Uhle à dresser le lit-cage. En un tournemain, l'homme s'y coucha tout habillé, mais après avoir revêtu un tablier de toile bleue et un gilet rayé noir et jaune.

« N'oubliez pas que vous êtes Jules... Jules Bile, mon garçon de nuit... J'ai vos papiers... ne parlez pas trop... Ça ira, avec du calme. »

Nous rentrâmes dans le bureau pour mieux nous éloigner de la rue, de la nuit et du silence lourd qui de nouveau s'imposait. Mais la nuit était remplie d'apparences de lumières et de sons : d'anciennes lumières enfermées dans les bibliothèques et de bruits familiers venus des premiers âges de l'humanité, avant les couches de la mère.

« Il y a des iguanodons dans la rue, fit M. Uhle. Ils ont abandonné les marais et les nuages fuligineux, le soleil trop jeune de la naissance de l'œuf. C'est cette peur héréditaire qui donne aux enfants et aux hommes la maladie de la nuit. Toutes les nuits, je suis malade; je descends en moi-même comme dans une cave et je ne sais quoi souffle toujours le petit bout de chandelle qui devait guider mes pas. Alors je demeure, comme étonné, les mains désarmées, dans un monde bourré de vieux gémissements. C'est de l'élévation en profondeur, si j'ose dire.

— Je vais aller me coucher, répondis-je.

— Ah! diable! attendons un peu. L'homme dort. Demain il reprendra sa route. Ne me laissez pas seul. »

Il me versa à boire.

« Je préfère avoir quelqu'un à côté de moi si... si ils venaient. Je ne le pense pas. En ce moment, ils seraient déjà chez moi. Les murs de la place du Tertre ont dû garder le reflet de cette aventure. »

Il écouta encore et très attentivement. Puis il s'approcha de l'homme jeune qui dormait profondément, couché en chien de fusil. Il le contempla avec bienveillance.

« Il a une bonne tête, dit-il, une bonne tête de Breton, une vraie tête honnête... Je suppose que vous imaginez ce qui s'est passé?

— Comment pouvez-vous en douter?

— Et cependant, les éléments de la tragédie sont toujours les mêmes : la nuit, l'aube, la brume, les deux crépuscules, le silence et la petite cloche de la Sorbonne (celle dont parlait Villon). Si j'étais écrivain, j'écrirais un *Recueil des signaux d'alarme*, basé sur l'influence de tous ces éléments, on ne peut plus classiques... »

C'était l'aube. Je décrochai ma clef au tableau. Quelques minutes plus tard, j'étais dans mon lit, entouré de tous les accessoires romantiques qui précédèrent la chute de la maison de M. Roderick Usher. Ce conte m'avait toujours dominé pour des raisons que je ne pouvais définir nettement. Ce n'était qu'une obsession d'atmosphère dont il m'était difficile de rompre la sinistre attraction. Je nourrissais ce conte de ma propre substance comme une maladie incurable. M. Uhle savait-il quelque chose de nouveau sur la destruction de ce perfide cottage d'importation? Je m'endormis en mêlant le paysage Usher aux aubes de M. Uhle et aux nuits de Père Barbançon.

III

ORIGINES DE LA PENSION USHER

Cinq années, jour pour jour, après cette nuit pénible, M. Uhle me raconta son histoire et comment elle fut mêlée à celle du Capitaine Hartmann et à celle de Père Barbançon, plus particulièrement à celle de Père Barbançon. Mon rôle dans cette narration se bornera à quelques exclamations polies et à quelques commentaires pour mon usage interne.

M. Uhle offrait toutes les qualités du parfait conteur : il était lent, prudent. Il savait modifier le ton de sa voix, pour modifier à bon escient sa pensée qui demeurait toujours un peu secrète. Quand il disait : « Dans le fond, Père Barbançon était une vache... », il prononçait cette phrase discourtoise en l'accompagnant d'un tel sourire que l'auditeur restait convaincu que Père Barbançon, loin d'être un déplorable individu, pouvait offrir toutes les qualités d'un très brave homme. Pour cette raison, la chronique de M. Uhle me plaisait beaucoup car je n'aime pas connaître la véritable pensée des gens que je fréquente. A partir de ce moment, je laisse donc la parole, comme on dit, à l'honorable Uhle qui, de ce fait, assume la responsabilité de ses inventions ou de ses observations.

« J'ai connu Père Barbançon, dit M. Uhle, à Rouen, rue des Charrettes. C'était, je crois, en 1901. Vous auriez pu le rencontrer, car vous avez fréquenté ces parages. Pour être précis, je crois qu'il n'était plus à Rouen quand vous êtes entré dans cette ville, à cette époque assez surprenante pour les vagabonds de fortune. Si je dis vagabonds de fortune, c'est pour bien préciser que vous n'étiez pas de vrais vagabonds, voués au vagabondage comme d'autres le sont à leur profession nourricière. J'éprouve une très authentique sympathie pour les vagabonds, car j'aime l'ordre social et les disciplines funambulesques.

« Je n'ai jamais rien écrit, parce que j'ai trop raconté mes histoires et mes ennuis à tout le monde. De les raconter, c'est un peu comme si j'eusse composé vingt livres, cent romans et dix mille articles de journaux. Les paroles ne s'éditent pas et je le regrette, car à cette heure le nom de Uhle serait sans doute célèbre. »

Il ajouta, en souriant avec modestie : « Un peu célèbre. »

Puis, il continua son récit.

« C'est vers cette époque, quand je participais au régime de la confrérie de la Cloche, qui représente plus exactement les vagabonds des rues, que je fus pris en main par Père Barbançon que l'on appelait Snark entre nous, sans doute en hommage au poème de Lewis Carrol.

« Snark tenait un bar fréquenté par les matelots du Nord, ceux des bois de Norvège et les états-majors de quelques charbonniers habitués des quais de Rouen. Je ne vous dirai rien de ce bar. Peut-être avez-vous entendu parler du *Critérion*? Avant votre arrivée en franchise dans le port de Rouen, le *Critérion* était tenu par Père Barbançon; c'était quinze années avant la dernière guerre d'infanterie.

« J'entrai comme garçon à tout faire, c'est-à-dire comme plongeur, chasseur et exécuteur des hautes Œuvres dans l'établissement. Je vous dirai encore que la barmaid était une certaine demoiselle Barclay, Annah Barclay, née tout bonnement à Londres. Elle avait un ami à Rouen qui était employé chez un courtier maritime. Mlle Barclay n'entra jamais dans notre jeu. Nous ne parlerons plus d'elle si vous le voulez bien.

« Je passerai rapidement sur cette période de la vie de M. Snark et de la mienne. Plus jeune que lui, je subissais son influence. C'est lui qui me fit tel que je suis, c'est-à-dire un homme d'une valeur humaine peu considérable. J'ai pu toutefois me défendre contre les séductions dangereuses de cet infernal poète de la malhonnêteté. Dieu en soit loué, chaque fois que je respire, la conscience aussi plaisante qu'un mouchoir propre bien repassé. J'étais honnête comme on naît blond ou brun, grâce à quoi j'ai pu ne pas trop me soucier de tous les préjugés qui encombrent l'existence des coquins. Maintenant que Snark — je veux dire Père Barbançon — n'est plus, je crois qu'il n'était point aussi mauvais, aussi vil qu'on était en droit de le penser quand on le connaissait dans ses fonctions publiques. Père Barbançon possédait un double qui n'était point tellement déchu. Mais la bonne apparence de Père Barbançon appartenait à la littérature. Ce n'était pas l'homme de ses livres. Quand il devint acquéreur de la maison de M. Usher, là-bas, en Bretagne, dans une lande fréquentée par des V2 à bout de souffle, il écrivit des poèmes, car ce bandit de rues et de routes connut la peur. C'est la peur qui le rendit poète, tout au moins qui lui proposa le jeu des phrases faciles à mettre en musique. C'est lui l'auteur de la *Java des Lémures,* un grand succès de réunions privées.

« Je vais donc commencer ma petite chronique de la vie méditative de Père Barbançon au moment qu'il acheta cette fameuse maison Casimir Usher — sans doute un descendant de Roderick Usher —, dans un coin sauvage de Bretagne entre la mer déserte et la lande isolatrice. A cette époque, l'aventurier de Barcelone, de Brest et des docks de Londres et, je crois, de Hambourg était nettement dégoûté de toutes ces histoires de pistolets automatiques, de langage secret, et de jeunes femmes aussi peu reposantes qu'il est possible de le concevoir. En bref, il était dégoûté de ce métier d'espion qu'il avait pratiqué longtemps aux dépens de cet excellent Hartmann qui mourut à peu près honorablement dans le désordre suprême d'un bombardement aérien, à pied, en costume de tweed et en chemise sale, sur une route du Sud.

« Je ne fus jamais mêlé à ses affaires louches et je ne sus jamais pour quelle puissance il travaillait. A mon avis, il espionnait tout simplement pour le compte du Diable et pensait trouver une situation sérieuse dans le royaume de cet ange déchu. Il ne se sentait pas assez sûr de ses moyens pour trouver un emploi dans le Paradis, le Paradis couleur d'or et de bleu pervenche.

« Notre départ de Rouen date... »

M. Uhle chercha un petit carnet dans sa poche et, finalement, ne le trouva pas.

« Je ne sais plus où je l'ai mis... Ça ne fait rien. Nous vivons dans une époque où les dates me paraissent incertaines. Par exemple, je ne sais plus si c'était hier mardi prochain. Par contre, la nuit de Noël dont nous sommes éloignés de quelques jours me semble déjà déroulée comme un film que je ne reverrai que par hasard. C'est pour vous dire que l'aventure funèbre de Père Barbançon dans sa triste

Pension Usher peut aussi bien appartenir à l'avenir qu'au passé. Cette méthode est excellente; j'en use pour toutes mes nécessités spirituelles... Je sais, cependant, qu'un jour ou l'autre ce procédé me jouera un drôle de tour, comme on dit. Il y a des nuits où je me sens au-delà de la mort. Je ne crains pas la mort, car je vis en ce moment, si l'on peut dire, dans une période de temps qui me permet de penser que je suis mort en 1939 ou en 1655, date de la Peste à Londres qui fut toujours pour moi un événement que je m'efforce de commémorer par des lectures appropriées. On ne meurt pas deux fois. Les écrivains meurent deux fois, mais leur seconde mort s'appelle l'Oubli. Demain, je vous décrirai la Pension Usher et cette clientèle dont le souvenir décourage souvent l'hôtelier que je suis devenu. »

IV

SNARK-BARBANÇON

DEMAIN est un avenir modeste dont l'échéance semble fatale à beaucoup d'optimistes. La confiance que les hommes mettent dans ce mot résiste à toutes les chinoiseries des ergoteurs de la vie quotidienne.

M. Uhle croyait en ce mot. Et il avait raison parce que le jour se leva qui lui permit de retrouver le fameux carnet de notes égaré dans la poche normale et intérieure de son veston d'appartement.

Je ne fus pas indifférent à son plaisir. Ma curiosité avait été éveillée par le séjour de M. Uhle dans cette ville de Rouen où j'avais acquis les rudiments de cette littérature souvent argotique, mais toujours soumise à des acquisitions sentimentales d'une valeur permanente.

Un fait me semble indéniable : Uhle avait nagé dans les eaux épaisses des ruisseaux, dans ces petites rues défuntes qui accédaient timidement aux cargos de bois de Norvège, devant la *Petite Provence*.

L'âge troublait déjà la netteté des photographies enregistrées par ma mémoire. Une charmante confusion dominait mes souvenirs : des noms de personnes ivres d'humilité savoureuse se mêlaient à des noms protégés par les caractères d'imprimerie. Conrad,

Capitaine Bannister, des peintres nordiques, Lord
Jim, Fultah Fisher, Mulvaney, mon frère Jean, Paul
Lenglois, M. Altmayer, les demoiselles du *Critérion*,
de l'*Albion* et des estaminets vraiment distingués se
nouaient familièrement dans une très féconde association de morts et de vivants.

Malgré la fidélité de ma mémoire, en quête d'énumérations nocturnes, je ne parvenais pas à mettre
M. Uhle à sa place, ou, plus simplement, dans la
silhouette d'un vivant. Uhle était un mort vivant.
C'était, sans doute, et encore une fois, un total d'expériences juvéniles et une table de poèmes mort-nés.

« Un canard fouillant du bec dans des détritus dé-
charnés, c'est ce que je suis, ou, du moins, c'est un
aspect de ma personnalité au repos », disait souvent
Uhle quand son esprit critique le tenait en bride.

Sans accepter cette définition, il m'était facile de
lui accorder mon approbation, d'autant mieux que
ce M. Uhle, tout en excitant ma curiosité, contribuait,
par sa parole fluide, à m'apporter une image décente
du repos dans une pièce bien chauffée. La parole de
Uhle maintenait la température entre seize et vingt
degrés quel que fût le combustible dont il l'alimen-
tait. Bien qu'il situât souvent ses paysages littéraires
dans les parages de Surabaya, cette conversation n'at-
teignait jamais les températures tropicales. Uhle était
un créateur de typhons en vase clos, de tempêtes
ouatées et de détonations molles.

La découverte de son fameux carnet, fermé par un
élastique fripé, l'introduisit dans une pente qu'il aimait, un glissement vers son passé qui m'intéressait.
Toutes les portes de ma mémoire étaient cependant
fermées sur les mystérieuses circonstances qui m'avaient
placé dans le décor de ce récit.

Uhle tirait de son inconsistance même une soli-
dité marmoréenne. Dès qu'il eut retrouvé la date de

son départ de Rouen, je fus subitement saisi par
l'odeur de la ville et par cette confortable sensation
de pluie tiède sur mes épaules redevenues sensibles
sous la médiocre protection d'un vieux veston de lai-
nage anglais orné d'une ceinture de la même étoffe :
un de mes désirs essentiels de l'année 1902. Ce vieux
veston verdâtre à carreaux bruns réunit dans son souvenir miteux les multiples apparences de Uhle et,
mieux, de Père Barbançon, cet œuf légèrement duveté
de poil gris qui me semble bien l'authentique géné-
rateur de cette chronique sentimentale.

Si M. Uhle reste, pour moi, une larve mal définie,
bourrée de nourritures peu désirables, il n'en va pas
de même en ce qui concerne Père Barbançon, tel qu'il
était, chauffant sa tête semblable à un œuf de cane
sur la *Petite Provence* ou dans des endroits mal
famés hantés par la police des mœurs, ses sujets et ses
sujettes.

Au coin de la rue de la Vicomté, non loin de la
petite porte qui accédait à l'estaminet de *La Pari-
sienne*, il y avait une borne blanche, une borne nocturne, sans détails apparents et c'était Père Barbançon qui guettait les ombres de minuit. Ses yeux de
chat voyaient dans la nuit ce que nous ne pouvions
voir. Et pour nous, il mentait. Peut-être disait-il la
vérité. Uhle lui-même, son valet de compagnie, ne
pouvait rien affirmer. Père Barbançon possédait la
force qui lui permettait de brouiller la mémoire des
gens. Lui seul connaissait le secret de la soupe infernale qu'il composait et cuisait avec nos plaintes et
nos aspirations.

Mes amis et moi, nous tenions notre assemblée dans
le petit café de Luisa Lewis. C'était un bar fréquenté
par les capitaines long-courriers anglais; quelques
lieutenants de commerce français nous y retrouvaient
à leur retour du Maroc ou de Saaremaa, dans la

Baltique. Père Barbançon ne fréquentait pas l'*Albion*.
Il craignait des rencontres. — « Chaque fois qu'il
m'échoit la mauvaise chance de me heurter contre
mon passé, je me fais une bosse au front. » Il disait
cela en souriant aimablement comme pour s'excuser
devant ce passé. Je m'interroge vainement afin d'expliquer la présence dans ma propre existence de ce
brouillard à formes humaines. Je sais, cependant, qu'il
existe encore malgré son définitif évanouissement;
quant à Uhle, que je peux tâter de la main, je ne
suis certain ni de son actualité, ni de sa consistance
sociale.

La dernière image que ma mémoire garde de Père
Barbançon, à une époque complètement ignorée par
le nommé Uhle, c'est comme il se faufilait rue Grand-
Pont pour gagner la rue Saint-Etienne-des-Tonneliers.
Ce vieil Edouard VII (de contrebande, car il ressemblait à ce roi d'Angleterre) était vêtu d'un veston
noir en alpaga et de pantalons de cotonnade grise.
Nu-tête, malgré le froid très vif, il cheminait non-
chalamment, en chantonnant d'une faible voix provo-
cante. Il tenait à la main une barre de fer, courte et
pesante, enveloppée dans un papier glacé, de ceux
dont on se sert pour orner les sucres de pomme.
L'ensemble était complété par deux faveurs de soie
bleu pervenche qui maintenaient le papier enroulé.
Père Barbançon appelait ce jouet : son silencieux.
C'était sans doute quelques années après l'aventure
du Capitaine Hartmann dans la nuit londonienne :
cette histoire de Colt. Au moment que Barbançon,
appointé par la police, régnait sur les crépuscules un
peu secrets des rues de Rouen, je m'apprêtais à
abandonner cette ville. Il me reste de cette époque
une chanson mélancolique. Je l'avais écrite au premier étage de l'*Albion*, dans une chambre dont le
parquet se gondolait à chaque lessive. Tilly était

barmaid. Elle venait, disait-elle, d'Irlande. Elle servait la clientèle, toujours vêtue de noir, le cou pris dans un faux col empesé. Dans le service elle mettait un petit tablier blanc à bavette. Tout à fait une barmaid de Lautrec, comme celles du Havre vers la même époque.

Voici la chanson de Tilly. L'air en est larmoyant. Cent chansons furent écrites sur cet air en 1900 et 1902 :

CHANSON POUR LA BARMAID DU « CRITÉRION ».

Quand je t'ai trouvé' dans la Charrett'Street
T'étais bien en chair et brun' de partout
De tous les barbeaux t'étais l'Amphitrite
T'aimais les harengs jeunets et jaloux.
T'aurais mis pour eux tes nipp's au Pégale;
Tu raquais la nuit toujours des deux mains
Mais tu fus, petit', trop sentimentale
T'étais romantique et t'aimais l'turbin.

Au Critérion bar, après la débine,
Tu f'sais la barmaid pour les Norvégiens.
Les gars des cargos t'app'laient leur frangine;
Tu gagnais dix bobs en un tournemain.
Après le bisness sur le quai des brumes
Et la ru' Grand-Pont, c'était l'Chabannais.
Qu'est-c'que tu prenais alors pour ton rhume
T'as des faux cols blancs, maint'nant tu t'refais.

Je venais t'chercher dans la lumièr' blême
D'un sal' petit jour sans sèch's et sans blé.
On rentrait s'coucher, le ventre en carême
Dans not' chambr' meublé', rue des Cordeliers.
Tu pouvais dormir comme un' petit' fille
Ta bouche entrouvert' souriait au plaisir
La vie n'est très bell' qu'alors qu'on roupille.
Le meilleur du lot, c'est pour le souv'nir.

Quand j'ai débordé de Rouen et d'ses fêtes
Pour aller trimer dans l'camp d'Mourmelon,
Je t'ai dit adieu en tournant la tête
Et tu m'as donné ta bénédiction.
On a pris pour ça la der des dernières
Cuit's au Bar Nielsen, rue d'la Vicomté.
Ça, c'est un condé. La part est entière.
On peut dir' merci, car tout est payé.

Cette chanson, dépouillée de son air lamentable,
entre parfaitement dans la composition de ce climat
littéraire qui s'inspira de Père Barbançon et, par la
suite, de Uhle, cet hôtelier dont la peau ridée rappelait un palimpseste.

L'époque citée par M. Uhle, quand il entra lui-
même dans le jeu de Père Barbançon, fut celle de
1900, 1901, plus exactement, date à laquelle Uhle
se souda au destin de Père Barbançon. Ce fut mon
temps d'études préparatoires à la sentimentalité des
camps qui succédait à celle de la rue.

Je n'ai jamais connu notre homme sous le nom
de Père Barbançon. Dans la bande dont j'étais un
ornement fragile, nous l'appelions Snark. Il est à
remarquer que Uhle n'omit point de me citer ce nom.
Snark était sans doute un excellent pseudonyme. Ce
gros homme, d'une force peu commune mais sournoisement dissimulée par des faiblesses séniles accompagnées de cris de souris, pouvait être admis comme
un personnage de Carroll. Il était né illusionniste et
escamoteur. Il jonglait avec des mensonges, commandait à nos larves familières et se vautrait cyniquement
dans sa réputation d'impuissance sexuelle qui le mettait à l'abri des femmes et, naturellement, de leur
souricière velue. Les filles de la rue le craignaient,
comme un bronchiteux un vent coulis. Pourtant, il

leur offrait galamment le bras pour traverser la chaussée quand la rafle balayait les trottoirs en obligeant les
femmes à galoper genoux hauts et les injures aux
lèvres.

Barbançon-Snark se confondait avec le vent. Sa force
terrible, mais inconsistante, ne laissait aucune possi-
bilité aux gifles d'atteindre ses joues un peu duvetées
de poil gris. A nos yeux, il représentait la vieillesse
dans ses formes les moins respectables. Un jour de
printemps nous le débarquâmes sur une île déserte
de la Seine devant Saint-Adrien. Il passa son après-
midi à héler des « huit » à l'entraînement jusqu'à ce
que le canot d'une marie-salope le débarquât dans
l'île Lacroix, derrière les Folies-Bergère. La nuit, il
vint nous retrouver à l'*Albion*. Il était blême de fureur
sourde, mais affectueux. Quand la bonté rayonnait sur
son visage, les plus faibles parmi nous tâtaient la
petite crosse quadrillée de leur revolver. On ne savait
jamais...

M. Uhle possédait de Snark un souvenir qui n'était
point le nôtre. Uhle, poète de l'école de Lautréa-
mont, tentait d'aménager les apparences du décor de
sa vie quotidienne. Il ne mentait pas. Il racontait seulement les expériences de sa vérité qui n'était ni notre
vérité sociale, ni celle de nos sentiments les plus secrets.
Je ne sus jamais très bien la traduire comme je
ne sus jamais très bien traduire la personnalité de
Snark. En résumé, j'étais un honnête homme qui
s'ignorait.

L'histoire de Uhle et de Barbançon me touche plus
profondément que celle du Capitaine Hartmann qui
n'était qu'un rejeton de la liaison de ces deux
arbres.

Je ne connais Hartmann que par l'intermédiaire de
Hambourg. Sans la présence de la Reeperbahn, Hartmann n'existerait point. Uhle, par contre, c'est une

nuit où la peur galopait dans les rues, et Barbançon-Snark c'est aussi la peur, mais la peur congénitale qui fait pleurer les nourrissons pour des raisons inconnues, qui, à mon avis, doivent s'associer à un instinctif pressentiment de l'avenir du monde terrestre.

Je dirai plus loin ce que je sais de Uhle, comme j'ai dit, dans la première partie de mon récit, ce que je savais de Capitaine Hartmann après sa confession dans le fumoir d'un hôtel très distingué. Pour le moment, c'est le Père Barbançon qui revient me tourmenter sous l'apparence plus humaine de Snark. Ce n'est que bien plus tard, dans l'emploi du temps de mes méditations que j'ai pu dégager son aspect ballon rouge d'enfant; son comportement de montgolfière inusable, sa grâce agaçante de coquille d'œuf dansant sur la pointe d'un jet d'eau forain.

A Rouen, notre Snark gagnait sa vie au jour le jour, à la nuit la nuit. La plus grande fantaisie dominait toujours les nombreuses malhonnêtetés quotidiennes qui lui permettaient de prendre ses modestes repas dans un petit restaurant de la rue Saint-Romain. Il m'invitait quelquefois à sa table, non par sympathie, mais poussé par le besoin d'enseigner. La conversation de Snark-Barbançon n'offrait rien de pittoresque. Il était disert sur des sujets variés dont la liste s'échelonnait entre l'élevage du lapin Papillon en Floride et l'opportunité du bicarbonate de soude mélangé au cidre. Il réservait pour ses méditations solitaires la gamme infiniment variée de ses inventions et de ses connaissances amusantes. Pendant quelques mois notre opinion sur Snark ne varia guère et nous la résumâmes ainsi : Snark tel que Dieu l'avait fait était le roi des menteurs. Il advenait alors qu'une circonstance fortuite vînt modifier ce jugement trop bien énoncé. On apprenait avec stupeur que Snark avait fracassé à la file, avec son propre revolver, douze œufs vides qu'un jet d'eau faisait danser; il s'était entretenu, dans l'enceinte d'un grand cirque américain de passage, avec des Peaux-Rouges et *dans leur langue;* il avait été reconnu chez Salles par un capitaine long-courrier qui trois fois avait fait le tour du monde afin de lui casser la gueule. De cette entrevue, rien ne s'était produit si ce n'est que le capitaine avait réglé de bon cœur un grand nombre de soucoupes témoin. Un ancien consul de Norvège à Haïti s'étonnait, après boire, d'un air connaisseur qui ne voulait pas en dire plus long, que Snark n'eût pas été pendu comme il le méritait dans le courant de l'année 1897.

Tout cela sentait terriblement mauvais comme la vérité classique. Mais nos nuits vivaient de ces histoires surprenantes. Snark prenait racine en nous comme un pourpier, un chiendent. Il fleurissait en toute saison, et ses fleurs étaient des fleurs de papier bon pour l'imprimerie.

Les hommes qui pourraient se porter garants de la haute sincérité de mes témoignages sont encore vivants. Je pense à Paul Lenglois, à Edouard Hibou, quand il gagnait le championnat de demi-fond sur piste en abordant les virages du vélodrome de Rouen. Snark méprisait le sport : il le jugeait comme un divertissement d'école maternelle, tout juste bon à créer une tranquillité éphémère dans le petit monde des écoliers.

Depuis ce temps, il ne cesse de se dandiner sur les routes et dans les rues les plus contemporaines sous le nom de Père Barbançon. Quand prit-il ce nom? Si j'en crois M. Uhle, ce fut après son départ de Rouen. Il connaissait la signorina Bambù, c'est un fait. Il dut la retrouver à Londres avant qu'elle ne s'agenouillât sous le choc définitif de la fusillade correctionnelle.

Tant de gens d'essences diverses furent les compagnons de Père Barbançon qu'il faut adopter les récits du Capitaine Hartmann comme vrais. Je n'en dirai pas tant sur M. Uhle dont la personnalité me paraît plus compliquée. Je vous laisserais le soin de le découvrir, au moment qu'il entra dans la Pension Usher, si je n'éprouvais, pour mon propre repos, le besoin de le planter plus solidement sur ses pieds humains.

Pour bien connaître un poète, il faut l'avoir vu manger.

Père Barbançon était dessiné par Bofa. Je suis toujours certain de le retrouver sous cette forme et cela m'aide à réprouver ses actes. Quand je lutte contre Père Barbançon, je lutte contre un personnage de Bofa, une idée secrète en chair et en os, plus vulnérable, parce que plus humaine, qu'une création d'Apocalypse d'intérêt particulier.

Comme les chansons influencent beaucoup le déroulement de mes jours, il m'est difficile de ne pas écrire la chanson de Snark. Ainsi, j'aurai anéanti tous mes rapports directs avec cette indiscrète obsession.

CHANSON DE SNARK.

Vêtu de peau mitée,
D'alpaga romantique
Snark mate Monsieur Uhle
Entre deux crépuscules
Viragon, vignette et vignon.

Snark appartient à Rouen
Comme cette pucelle
Qui fit tant parler d'elle,
En des temps plus féconds.
Viragon, vignette et vignon.

Il déroulait la nuit
Comme un film d'hypothèses.
Il inventait pour nous
Des meurtres de souris.
C'était un rat barbu
Aux yeux de myosotis,
Un clerc nauséabond.
Viragon, vignette et vignon.

Je l'appelais J. Snark
Dans les jours littéraires
Des débuts mal aisés,
Ce faux archer sans arc.
Et lui m'appelait Pierre
Mais Pierre... Comment donc?...
Viragon, vignette et vignon.

Je l'ai porté en terre
En trente ans de labeur.
Je dois cette chanson
A son humeur légère
Dédiée au Panthéon
Des lugubres valeurs.
Viragon, vignette et vignon.

M. UHLE EN VIF

En vous décrivant Barbançon, en utilisant mes souvenirs de M. Snark, je rejoins, tout naturellement,
M. Uhle, sa chair de crabe lymphatique et son âme
tortueuse de très mauvaise qualité. En M. Uhle, le
bien existait dans sa façon de concevoir sa morale
sociale. Il était certainement moins destructif que
Snark. C'était, tout de même, un destructeur incons-
cient de globules rouges. Comme vous le savez, je
l'avais connu sur les hauts de la Butte Montmartre
où les vents de la rose céleste se transformaient en
vents-coulis. Car le vent qui soufflait sur la place
J.-B.-Clément ne permettait pas d'évoquer la maison
morte d'Emily Brontë. Il chavirait de préférence les
éléments un peu mystificateurs d'une joie d'intérêt
local.

Mais la nuit où j'ai rencontré Uhle dans le salon
de son hôtel, devant les méfaits d'une aube exceptionnelle et l'absence de son garçon de nuit, cette
nuit contenait un chapitre nouveau de la peur. Uhle
et moi nous le savions et nous ne pipions pas tout
en dérobant le Breton à la poursuite de l'ennemi.
L'attitude de M. Uhle m'avait donné confiance. Malgré
tout ce que je sais de lui maintenant, elle témoigne

toujours en sa faveur. Cela, peut-être, lui servira un
jour : Ici ou là.

En lisant la suite de cette chronique consacrée aux
habitudes de la Pension Usher, on s'apercevra avec
tristesse que ce larbin pour fantômes d'hôtels meublés
n'était qu'un élément poétique de la rue, mais un
élément mal né, mal instruit et difforme, un élément
estropié de la poésie populaire, intoxiqué par les
poisons grossiers de la peur et de toutes les lubricités
qui dérivent de cette force. Avant d'entrer au service
d'Encolpe, de Grimaut et de Klinius, il avait appris
l'art de laver les verres, dès sa sortie prématurée du
collège à l'âge de seize ans. De cette époque de la
vie de M. Uhle, il ne reste rien, sinon qu'il fut surpris par son patron, un Périgourdin sans refoulements,
comme il admirait silencieusement les fesses d'une
jeune servante accroupie dans la posture classique de
la miction. Le Périgourdin examina l'observateur dissimulé derrière un arbre. Il hocha sa tête de hussard
de Rattky et réédita le geste du baron de Thunder-
ten-tronckk mis en présence d'un exploit plus sérieux
du jeune Candide. Uhle, depuis cette journée, garda
la méfiance des femmes et demeura toujours silencieux
sur ses occupations amoureuses. Avant que le séjour
dans la Pension Usher ne le transformât définitivement en ris de veau vêtu de coutil gris de fer, il
parlait des femmes avec légèreté. Il disait, quand se
faisait sentir un lourd besoin de confidences : « C'est
une petite salope... » ou encore : « C'est une non-
valeur cotée des Mines de la Bamboula. » Les quatre
ou cinq phrases qui constituaient l'expression de ses
méditations établissaient sa situation d'homme pon-
déré. Ses confrères venaient parfois le solliciter pour
remplir les cases de leur déclaration d'impôts. Une
année, je fis appel à ses connaissances et lui confiai
des problèmes fiscaux à résoudre. J'eus des ennuis.

Uhle n'était pas d'un commerce insignifiant. Ce personnage inachevé possédait le génie des choses embryonnaires et le goût de l'imperfection. Il donnait parfois l'impression d'être vêtu d'un frac pour se rendre en soirée mais d'avoir oublié d'enfiler ses pantalons. En fermant les paupières je tente de le reconstruire de mon mieux. Ma main le dessine sur le papier; je regarde l'ébauche. Il manque toujours quelque chose à ce portrait. Je n'ai jamais pu reconstituer intégralement le visage de M. Uhle : on escamote un œil, le nez, une oreille. D'autres fois, je m'aperçois que M. Uhle possède deux et dix oreilles qui lui entourent le front comme une guirlande de feuilles de chêne. Tant d'imperfections ajoutées à tant de clandestinité dans la pensée devaient ouvrir à ce bonhomme les paysages de la poésie de Quatre Sous. C'était un personnage de l'Opéra de Gay et ses ancêtres avaient dû se mêler par alliance à la chair des Polly Peachum et des Jack-Doigts-Crochus.

La nature l'aurait permis, que j'eusse composé un opéra interprété par Uhle, Encolpe, Diablois et Klinius : Un opéra chanté en sourdine par ces ténors aphones et bègues, un opéra des gueux de la pensée secrète, illustré de ballets policiers et de duos chuchotés derrière la main.

L'influence de Snark sur Uhle fut profonde et le marqua comme le bourreau gravait de son fer chauffé au rouge la fleur de lis sur l'épaule d'un condamné.

Il est maintenant difficile pour moi de dissocier les deux hommes. Et je pense, pour simplifier, que M. Uhle n'était qu'une apparence secrète de Barbançon. Un même moteur sanguin les animait, un même estomac entretenait leur vie. Uhle n'était qu'une matérialisation vulgaire des sous-produits de l'imagination snarkienne.

Il est désastreux de devoir vivre dans un contact ininterrompu avec les sous-produits de l'imagination. La conduite de Père Barbançon me semble logique : il se dédoubla en laissant à son double un semblant de personnalité qui — il l'espérait — le dégagerait de toute responsabilité devant ses créations cérébrales.

C'est au moment que cette rupture s'opérait que Père Barbançon disparut de la circulation publique. Il effaça d'un coup de gomme la signorina Bambù, Captain Hartmann et moi-même. Du moins il crut en l'efficacité de son coup de gomme. S'il n'échappa pas entièrement aux dangers d'une vie publique tourmentée, il se libéra tout de même. Il devint plus léger, plus transparent : un vrai poids plume attaché à la chronique de ces dernières années par une ficelle infiniment fragile.

Ceci peut expliquer ses bonds saugrenus et puérils et ses aspirations funambulesques sur les vieux tréteaux de la foire sournoise dont l'Europe assumait les frais.

Ceux qui liront ce livre auront bien du mal à reconstituer les détails et le climat de la fin d'une civilisation qui fut honorable en son temps. Au moment que naissait une nouvelle manière d'être intelligent, se perdaient dans un néant absolument neuf d'immenses forces sentimentales. On ne savait plus sur quelle valeur placer ses sentiments. Et les cours s'effondraient. Effondrement en bourse des mines d'or de Mimi Pinson, des aciéries napoléoniennes et de l'éclairage de minuit. Il suffisait de consulter la cote des chansonnettes pour évaluer le désastre au cours de la journée. Il suffisait d'entendre la voix nasillarde et périmée de l'annonciateur des cours dont les pieds étaient humides : « *Manon, voici le soleil,* en baisse sur la veille. *Mademoiselle Clio,* en baisse sur la veille. Le *Temps des cerises,* non coté. *Auprès de ma blonde,* en baisse. *Berceuse militaire* de Montéhus... », etc.

Cet etc. représentait la fin de nos habitudes sentimentales et de certains paysages déjà modifiés par
l'aviation et ses espérances dans un idéal mal connu
inspiré par des atomes également bombardés. On béait
devant les promesses d'un feu d'artifice définitif; et
le mieux rivé au sol de tous les sédentaires rêvait de
relations nouvelles, de préférence martiennes.

Toutes ces réactions devant un avenir assez précis
ne parvenaient pas à me donner confiance dans la
disposition de Père Barbançon. Oui, bien que l'heure
ne me semblât pas propice à la présence de telles
« tourniboles », comme disait Uhle, Barbançon le
translucide folâtrait comme une bulle de savon sur
le trajet d'une discrète brise, Barbançon pesait lourdement dans le plateau de la balance où je me
cramponnais en face des fameuses bombes de l'avenir.
La vie des laboratoires pénétrait grâce aux gazettes
dans les plus humbles demeures. Les racontars sur
l'eau lourde remplaçaient la poule au pot des Histoires
de France élémentaires.

Quant à moi, je ne croyais pas à la poule au pot,
mais j'avais encore confiance dans mon passé. L'âge
était venu de mettre un peu d'ordre dans mes pertes
et dans mes profits. J'en étais au chapitre Snark.
Il me fallait liquider l'affaire Snark, soit en la
plaçant dans la colonne des profits, soit dans celle
des pertes. C'est le but que je me suis efforcé d'atteindre dans les chapitres qui vont suivre. Quand j'ai
recontré Uhle, dans les circonstances que j'ai dites,
l'homme était déjà trop formé pour que je pusse
en prendre les mesures. Il me coulait entre les doigts
comme du sable fin. Mais, par certains contacts furtifs,
il me rejoignait dans le passé, aux meilleures époques
de ma vie sentimentale, comme c'était quand je
connus Capitaine Hartmann. Si j'avais pu rencontrer

Uhle en ce temps-là, il est probable que j'écrirais tout autrement à son sujet.

Enfin, il existe des moments où M. Uhle s'accorde avec le souvenir de mes chansons. Je ne peux évoquer son souvenir sans entendre le phonographe à pavillon rose de l'*Albion*. Sa voix morte de perroquet enroué nous réduit, Uhle et moi, à un dénominateur tristement commun. Plus tard Barbançon est entré dans ma vie avec la chanson des bersaglieri de Vintimille. Ils habitaient un vieux fort tout au sommet de la ville devant la mer. La signorina Bambù ébouriffait d'une main preste les plumes vertes de leurs chapeaux. Et la signorina Bambù, c'est peut-être Maria de Calci qui chantait pour les beaux jeunes gens du « huitième », vêtus de bleu sombre, la courte baïonnette sur la hanche. A votre santé, caporal Nino de Florence, à votre jeune gaieté, Maria de Calci. En ce moment, je bois je ne sais quoi de doux et de désespéré. Je bois, moi aussi, un vin jeune, mais dans un verre fragile, trop fragile pour que je puisse le briser contre le mur de ce cabaret idéal où je vous convie pour la dernière fois.

En 1906, pour avoir levé ma coupe à la santé de Maria, la chanteuse du huitième bataillon de bersaglieri, j'eusse brisé ce vaisseau de verre grossier. Il m'en restait d'autres pour remplacer cette victime de la solennité des ivrognes. Mais la chanson napolitaine couve sous la cendre : elle est anecdotique comme le temps passé.

Uhle, je ne sais où, s'était imbibé comme une éponge de cette amertume populaire. Et comme il ne savait pas chanter, ses souvenirs lui sortaient de la peau, durant ses sueurs nocturnes. J'imagine. Quand il descendait dans le bureau de son hôtel afin de remplacer son garçon de nuit, il semblait toujours prêt à chanter quelque chose, une ariette située entre :

La P'tit dam' des P.T.T. et le célèbre *Passer, deliciae
meae puellae...* de Catulle. Ces velléités sentimentales se traduisaient dans l'épanouissement anormal
de ses pupilles une sorte de regard de bœuf surpris
dans le couloir humide d'un abattoir pourvu du
confort moderne.

Il absorbait une tasse de café chaud dans quoi se
diluaient ses expériences anciennes. Après quoi, il
examinait machinalement le courrier de ses locataires
et me disait bonjour. Cet homme qui n'existait humai-
nement qu'aux heures crépusculaires, tenait en son
pouvoir les pages qui vont suivre. Il mêla adroitement et par surprise son passé au mien. Je ne peux
pas nier la véracité de ces témoignages, mais je ne
peux en garantir l'authenticité.

Cette Pension Usher n'est pas un produit de la
déformation de ma propre inquiétude. Elle existe,
je le sais. Mais en quel endroit? Les paysages laissés
par la guerre sont mal nettoyés de leurs obus ou
bombes non éclatés. Tous les bois sont dangereux
et l'on ne sait pas très bien si le geste machinal de
shooter avec une vieille boîte à sardines vide n'équi-
vaut pas à un anéantissement absolu.

Quand j'ai connu Uhle à Montmartre, il me donna
l'impression d'avoir épuré son passé, son présent et,
dans la mesure raisonnable, son avenir. Les dernières
bombes à retardement qui le menaçaient fusèrent dans
les couloirs et le sous-sol de la Pensoin Usher, dont les
clients, mal tués, devinrent tout de suite des ombres
un peu charnelles, des ombres mal vivantes.

Je suis moi-même surpris de prendre tant de pré-
cautions avant de pénétrer dans l'intimité de cette
médiocre pension de famille. Sans la présence du
Père Barbançon et de Uhle, son maître d'hôtel meublé,
je sais qu'elle ne vaut pas grand-chose. Mais précisément Uhle existe et Barbançon, toujours folâtre et

fripon, bondit sur le pavé des rues et la terre des chemins vicinaux.

Son apparition fortuite est la seule qui ne puisse me surprendre dans cette liquidation de stocks sentimentaux où les « vieux parapets » sont récupérés par les besoins urgents de l'inutilité. Avant que la Pension Usher, direction Père Barbançon, ne m'impose ses disciplines, il me semble nécessaire de constater la présence de ses fondations.

L'origine littéraire de cette pension de famille est certainement douteuse : ce n'est qu'une coïncidence entre deux noms. Pension Barbançon convenait mieux comme enseigne à cette auberge côtière, délabrée, découragée par sa propre somnolence et la lypémanie chronique de ses occupants.

Je connais ces paysages tapissés de culs de bouteilles concassées, de boîtes en fer-blanc rouillées, d'orties sournoises, de lattes pourrissantes et de vieilles enveloppes maculées. De tels détails ne peuvent qu'influencer les floraisons qui s'en accommodent. Une immense odeur de moisissure s'épanouit dans le décor de ses murs. Barbançon et Uhle, Klinius, Grimaut et Encolpe ne sont que des moisissures grossies mille fois.

Si l'on regarde une maison, une ville dans la lentille d'un microscope géant, on garde l'impression d'un peu de croûte de fromage observée dans un laboratoire spécialisé. L'usage du microscope déforme l'imagination et l'optimisme. Pour les usagers du microscope, une grande ville peut ressembler à une goutte de pus, de même qu'un mot quelconque, grossi à l'extrême limite des appareils de grossissement, aboutit à une vision apocalyptique de la fin de toutes les fins provisoires.

Dès qu'ils furent sous la lentille qui dominait la

Pension Usher, Père Barbançon, Uhle, Klinius, Encolpe et Grimaut devinrent semblables à des larves
vulgaires et, quelquefois, à des lémures modernisés par
les circonstances.

Dans ce paysage de destruction, où fumait la che-
minée de la Pension Usher, ces anciens vivants, sans
être morts, se comportaient comme ceux toujours mal
définis qui remuent entre la vie et la mort. On ne
pouvait être surpris qu'ils se confondissent avec leurs
ombres; car l'ombre est une apparence intermédiaire
entre la vie et la mort. Maintenant que j'ai tenté de
mettre un peu d'ordre dans l'étrange récit que me
fit M. Uhle, j'accepte facilement tout ce qui pouvait
me paraître invraisemblable la première fois que je
l'entendis. Ces sortes d'acceptations ne sont point sans
dangers. Elles créent le doute, un doute principal
qui accède à une métaphysique sans issues. On se dé-
double devant une glace : ce n'est certes pas apaisant.
Et puis, la présence de la glace devient superflue.
Alors on devient soi-même un client de la Pension
Usher comme Encolpe, Grimaut et Klinius le Marin.
En ce moment, où je pense un peu à la manière des
hommes âgés dont je suis, j'aimerais connaître une
certitude : celle que la Pension Usher est réduite en
cendres. Ainsi j'éviterais bien des inquiétudes. Cette
maison de famille pour vieux hommes que la déché-
ance physique place en dehors du jeu de la vie
m'apparaît comme la plus perfide des souricières.
Peut-on l'éviter? Je serais heureux de le savoir et,
comme le Capitaine Hartmann vers la fin de son
existence, je poserai volontiers cette question : « Croyez-
vous qu'un homme ayant bien dépassé la soixantaine
puisse éviter de retrouver Klinius, Encolpe, Uhle et
Grimaut dans un hospice de vieillards, naturellement
non gratuit? »

Est-ce vraiment entrer dans les faubourgs de la fin

que de devenir sourd, édenté, avec un visage étranger d'un dessin malhabile?

Je répondis à Hartmann, comme il m'adressait une question qui répondait à une préoccupation proche de la mienne : « Vous pouvez dormir tranquille; il me semble que tout est fini. » Il ne s'agissait que de la jeune Lia.

Il vaut peut-être mieux ne pas exiger une réponse trop nette à une question que je pose dans une minute de curiosité dangereuse.

Cette aide discrète que je semble solliciter ne me paraît pas inopportune. Après avoir pris connaissance du récit de M. Uhle, je me sens moins enclin à le juger légèrement. Il me paraît déplorable; car les éléments de gaieté que je pensais y découvrir ne sont que des morceaux de lard sur le ressort d'un piège minutieusement odieux. Un homme qui porte sur son visage sa chronique dans ses rides ne peut connaître les bienfaits de la solitude. Le solitaire M. Uhle ne pouvait se soustraire à la curiosité de ses clients. Les questions qu'on lui posait, même les plus banales, devenaient indiscrètes dès qu'elles parvenaient à ses oreilles.

La plupart des gens le croyaient timide. En vérité il était glorieux et vindicatif, mais tout cela s'apaisait dans la confusion des expériences nées dans la Pension Usher.

Beaucoup de gens estimaient plus simplement que M. Uhle représentait, sans effort, l'imbécile à l'état de perfection. Ce jugement ne déplaisait pas à l'hôtelier parce qu'il lui apportait la paix dans la société du pain quotidien.

Le garçon d'hôtel me dit que son patron avait voulu se suicider, un jour quelconque de la semaine, quand rien ne permettait de prévoir son geste. L'opération ratée, Uhle en devint rouge jusqu'aux oreilles. Pendant huit jours, il fut semblable à un polisson en faute. Puis il reprit son teint blafard, ce teint un peu plâtreux qui dénonçait aux yeux des habitués la bonne humeur du patron.

Il me serait pénible de terminer cet essai biographique sans parler des clients de l'hôtel tenu par M. Uhle sur les hauts de la Butte Montmarte.

Ils n'étaient plus ceux de la Pension Usher, au bord de l'Océan. Ils venaient presque tous du monde coloré du travail régulier et irrégulier. Le besoin de gagner de l'argent les maintenait dans les dimensions ordinaires des innombrables personnages de la vie de Paris. Les uns appartenaient à la société des bureaux et vivaient pendant le jour; les autres vivaient la nuit entre la place Pigalle et la place Clichy. La plupart des personnages de la nuit se livraient à la prostitution. Ces jeunes femmes, vraiment jeunes pour la plupart, étaient faussement libérées par l'alcool. Elles étaient aussi très difficiles à diriger, même dans les limites peu compliquées du règlement des garnis affiché dans leur chambre au-dessus de la sonnette qui mettait en communication avec le service.

Elles manquaient, presque toujours, de respect à M. Uhle. Elles disaient de lui qu'il avait un nez à piquer des gaufrettes et qu'il ne lui fallait qu'une hélice au fondement pour avoir l'air d'un cerf-volant.

Uhle se vengeait d'elles en truquant à son profit la note des petits déjeuners de ces dévergondées, orgueil des bars du Bas Montmartre. Les employés de bureau, dont les chambres étaient libres dans la journée, se montraient déférents par habitude. Ils appelaient Uhle : patron, ou mieux, le boss, afin de le situer exactement dans le climat de l'époque.

Nous étions, en ces dernières années, bien loin de la mer et de ses influences romantiques. Uhle qui

portait en soi le lugubre mystère charnel des grandes
profondeurs ne m'apparaissait pas comme je le connais
aujourd'hui, depuis que la Pension Usher enrichit
ma collection d'hôtels meublés.

De tous les souvenirs purement matériels que me
laissa le dessin de l'ombre de M. Uhle, il me reste
un porte-pipe en plâtre gothique, imitation de vieux
chêne et cette chanson qu'il chantait souvent en regardant le ciel de la rue des Saules. La voici telle
que je l'ai notée. Son intérêt est strictement documentaire et doit servir de préface à la chronique
exacte de la Pension Usher-Barbançon.

Uhle et Barbançon, fagots de la cadène,
Mézière vous chante en son jargon
La romance des fredaines navales
Ou le péan censuré des faridons
    Daine.

Beaux poissons, nés Barka
Bêtes à peau de perle
Voyez mieux vos besoins, infiniment ingrats
Dans la lumière mal sereine
De cette estimable Pension
Usher et son infernal faridon
    Daine.

Ombres enroulées en bobines,
Courroies des blêmes transmissions,
Entre Morgat et Salamine,
Revenez, ô mes capitaines
A sept ou huit et dix galons,
Dans le port franc de la Dondaine
Au vent de l'Ile Faridon
    Daine.

Tirez le cordon de la porte du port
Et la chasse d'eau blatèrera
Dans une émeute de sirène.
Mado, Nini et Tertullia,
Cigarette à leurs lèvres fortes,
Eteindront l'électricité.
O Uhle, Ullalume, Uhlenspiegel,
Caps d'escadre et d'escadrons,
Ouvrez la porte de la Pension
De la Faridon en faridondaine
De faridondaine en faridon
                    Dondaine
                        Et
                    Dondon.

VI

LE COLLÈGE DES OMBRES

« Au début de la dernière guerre, Père Barbançon
acheta, comme je vous l'ai dit, une sorte de pension
de famille, de modeste apparence. Je ne sais rien sur
ce M. C. Usher qui la lui vendit. A mon entendement, ce Usher ne descendait pas du mélancolique
manoir dont vous connaissez la fin tragique. La fin
de la guerre s'accompagnait de signes étourdissants.
Entre-temps, depuis la nuit que vous savez, j'avais
cédé mon hôtel. Je ne l'ai repris que depuis peu,
comme vous le savez aussi bien que moi, puisque
vous fûtes toujours fidèle à ce logis. Durant ces
quelques années où je fus l'employé de Père Barbançon, en souvenir de je ne sais quoi de parfaitement
idiot, j'ai vécu en dehors du temps, en dehors de
tout ce qui constitue la charpente réglementaire
d'une condition d'homme. L'An Mille, 1914, 1946, 2722
ou 1830, autant de chiffres que vous pouvez additionner
si cela vous chante afin de connaître mon âge, à
quelques siècles près. Je suis saturé de pilules chro-
nologiques. Parmi les plus funèbres, l'administration
cosmique et ses fonctionnaires moisis me semble l'une
des plus irritantes. Je verrai à vous apporter d'autres
précisions quand nous aurons un ministère du Temps

perdu, une infanterie de laboratoire et une marine de
guerre en vélin de luxe filigrané. D'avoir vécu trois
années avec Père Barbançon dans l'humidité lyrique
de la Pension Usher, constitue pour moi la vraie jeunesse de mes siècles. Ma vision de ce monde est renouvelée. Elle me brouille les yeux. Le deuxième
aveugle de la Parabole des Aveugles dans le classique
paysage néerlandais, c'est moi avant mon certificat
d'études pour piano mécanique. Nous voici donc dans
le sujet. Si Père Barbançon était le skipper de cet
étrange bâtiment de commerce échoué au bord d'une
lande parmi des témoignages de ruines atomiques,
j'ai été le second. Père Barbançon, il faut bien le
dire, n'était plus celui dont vous avez entendu parler.
Il clopinait au milieu de ses pensionnaires et regardait toujours en arrière comme un malfaiteur
craintif. Mais laissez-moi vous dire deux mots sur la
clientèle qui donnait un semblant de vie à cette auberge assez extravagante. Nous avions trois pensionnaires, des hommes âgés : Encolpe, Grimaut et Klinius
le Marin. En résumé : trois vaincus. Encolpe était
né dans une salle de rebut de la Bibliothèque natio-
nale; Grimaut venait de l'industrie cinématographique.
Il avait exercé la profession de metteur en scène. Son
ombre se déroulait derrière lui comme un film usé,
un film parsemé de petits trous de vers extrêmement
lumineux. De Klinius le Marin, on ne savait rien si
ce n'est que dans son âge mûr, il passait pour violent.

« Les fenêtres de la salle commune de la Pension
Usher s'ouvraient sur un paysage, sans ordre, sans
réminiscence. On se trouvait en présence d'une œuvre
de la nature jusqu'à ce jour inconnue. Une inoubliable grue au bras d'acier tordu en tire-bouchon,
implorait ou menaçait le ciel. On ne savait. Cet antique vestige de calamités historiques s'élevait au bord
d'un paysage de ciment disloqué, de fer inutilisable

« Les trois clients de Père Barbançon et Barbançon
le taulier me dégoûtaient chaque jour un peu plus.
Le décor de la ville morte, l'anonymat émouvant de
ses quelques habitants contribuaient à m'endormir
dans cet enchantement obscur. Je ne vivais plus que
dans l'espoir d'un croc-en-jambe parfait qui m'ai-
derait à pousser vers le néant quatre témoignages
falots de ma propre indignité.

« L'absence de femme dans notre petit domaine
ne me paraissait pas négligeable. Il ne pouvait être
question d'en admettre dans notre caveau de famille.
Cette suppression de l'élément féminin n'en était pas
moins déplorable. Nous n'en parlions jamais. Un soir,
cependant, je rencontrai dans l'escalier M. Grimaut.
Le vieillard montait les marches en soupirant; il tenait
devant lui une petite chandelle allumée dont la
flamme vacillait. M. Grimaut la protégeait dans le
creux de sa main : « C'est Monique », fit-il dans un
souffle. Ce souffle tua net la petite flamme. Alors,
M. Grimaut se mit à gémir. Je le laissai sans conso-
lation, la tête entre ses mains, dans le noir de l'escalier, assis sur la dixième marche. Tout nom de
femme équivalait à un remords.

« Le soleil brillait certains jours sur notre solitude
glacée. Il aidait lentement à la construction d'un
nouveau décor : des baraques surgissaient du sol dans
un élan fragile de coquetterie. Une grue, capable
de soulever la ville morte, allongeait au-dessus de la
mer stagnante son grand bras de démon. Les clients
de la Pension Usher profitaient de ces beaux jours
pour promener leurs ombres dans la lande. Elles
effleuraient de leur présence mutine les genêts nouveaux et la flore naissante des terrains vagues. Dès le
début du printemps, les ombres se dégelèrent, prirent
des forces, de l'autorité. Elles agissaient comme des
chiots, mais des chiots nés pour mordre avec art,

et rouge de rouille; des chiendents vigoureux poussaient en touffes dans les fissures d'un quai de ciment livide bouleversé comme un jeu de puzzle. La mer déserte était celle des premiers jours du brouillard et de l'eau. Enfin, telle quelle était, c'était la mer. Grimaut trouvait ce paysage photogénique : il sentait que la main de l'homme était passée par là. Comme beaucoup d'individus de son temps, sa culture intellectuelle s'inspirait de la radio et du cinéma. Quand il prononçait les mots : film, studio et caméra, il devenait subitement disert et prophétique.

« A dire vrai, Père Barbançon n'était plus un auditeur de qualité pour un homme d'esprit. Il ne savait que viser son ombre et les nôtres avec le premier objet qui se trouvait à portée de sa main. Il imitait avec ses lèvres minces de vieux mouton, à s'y méprendre, le bruit d'une mitraillette en action. Il me faisait de la peine.

« La vie dans cette maison de retraite était enduite d'une couche de silence infernal. Une sorte de peur originelle, mal odorante et délétère, se mêlait au silence, à l'humidité, à la pourriture marine, aux algues invisibles qui s'entortillaient autour de nos jambes. Notre club ressemblait à un club de vieux mauvais marcheurs. Nous étions tous faibles des jambes et quand nous trébuchions dans nos ombres, nous n'en éprouvions aucune surprise. Nous repoussions d'un coup de pied mou l'indépendance espiègle de nos ombres. Mais à l'heure des tisanes, nous en parlions déjà. Le livre d'or de la Pension Usher était un obituaire relié en veau. Encolpe le tenait à jour. A côté de la signature de Pétrone, on pouvait lire un quatrain de Descartes ou un rondeau de Tacite. A en croire Encolpe, Platon avait séjourné une saison dans cet hôtel. Ce jeu amusait sans doute Encolpe dont l'ombre nerveuse dansait sous la lune aux sons d'une musique anormale qui semblait née du ciment brisé.

« Il me fallut longtemps pour constater que l'indépendance de nos ombres n'appartenait pas à l'existence médicale des phantasmes. Ce fut Père Barbançon qui attira mon attention sur ce phénomène. Il était dans la cuisine : il bricolait, devant le fourneau. Il me dit : « Il y a quelque chose qui ne tourne pas rond. « — Et quoi? lui demandai-je. — C'est mon ombre... » Il tourna la tête et regarda longuement le sol derrière son dos. A ce moment, son immobilité était évidente. Soudain, il poussa un tout petit cri : « Mets le pied « dessus... elle bouge! » Je crus qu'il allait s'évanouir. Il se tenait debout raide et figé. L'ombre, cependant, remua un peu... Elle s'allongea dans la direction de l'évier. Puis, en se télescopant, elle revint vers son maître.

« Alors Père Barbançon se laissa tomber sur un escabeau et se passa plusieurs fois la main gauche sur le bas de son visage. « Il ne manquait plus que « cela », dit-il. Il parut enfin se ranimer et se redressa : « Surtout, ne dis rien à Encolpe de ce « que tu as vu aujourd'hui. »

« Pourquoi ne rien dire à Encolpe? Je ne l'ai jamais su. Mais Père Barbançon n'était guère enclin aux confidences. Une fois, une seule fois, qu'il semblait plus avachi que de coutume, il m'avoua simplement qu'il regrettait d'avoir fait fusiller la signorina Bambù parce qu'elle était belle. Je ne sus jamais quel fut son rôle dans cette histoire d'espionnage et de malpropreté.

« Pour en revenir au fait, je fus désagréablement obsédé par ce que j'avais aperçu dans la cuisine. Le comportement, à mon avis plus saugrenu que tragique, de l'ombre de Père Barbançon, défiait le raisonnement.

« Les récits d'histoires fantastiques que j'avais lus ne m'aidaient pas pour apporter un peu de vraisemblance dans cette aventure pénible et puérile, mais dans le goût de la civilisation créée par l'invention de l'énergie atomique et autres messages de l'An Mille. Pour moi, toutes les sorcelleries ne sont que des attractions de la Foire d'Empoigne. Je la connais. J'y ai tenu boutique comme tant d'autres. Je n'y ai jamais vu des ombres humaines pendues à des étalages comme des vieux pneumatiques ou des nippes usagées. Je n'ai jamais pu acheter une ombre au marché aux Puces. Eh bien, c'est que je ne savais pas. Aujourd'hui, je sais que je pourrais acheter une ombre sur l'emplacement de ce qui fut les fortifications de Paris. Ce n'est pas consolant.

« L'histoire de l'ombre de Père Barbançon ne s'arrêta pas sur cette première émotion. J'étais devenu méfiant comme un coucou qui chante toujours à cinq cents mètres de l'endroit où il a déposé ses œufs. J'étais devenu une sorte d'inspecteur de la police des ombres. Dans l'entourage de Père Barbançon, nous étions tous un peu enclins à jouer ce rôle. Pendant plusieurs semaines, j'observai minutieusement les ombres des clients de la Pension Usher. Elles me parurent tout d'abord de bonne qualité. Il y en avait cinq : la mienne, celle du Père Barbançon (plus que douteuse) et les autres qui appartenaient à Encolpe, à Grimaut et à Klinius. Cette dernière ne tarda pas à m'inquiéter : elle aussi présentait des signes d'indépendance. Elle paraissait plus grasse, si je peux dire, plus charnue; elle semblait offrir au soleil une surface légèrement bombée. Je me souviens d'un jour où mon pied buta contre l'ombre de Klinius, ce qui me donna l'impression d'un tapis mal étalé. Cette sensation fut désagréable. Elle ne pouvait se classer ni dans le chaud, ni dans le froid, ni dans la visco-

sité. Rien n'est moins franc que ce choc sans traditions.

« Je dus prendre l'air pour remettre de l'ordre dans
mes pensées. Je me coiffai de ma casquette en peaux
de taupes, car il faisait froid, et je suivis le sentier
qui se dirigeait vers la mer, vers ce qui restait d'un
port qui ressemblait maintenant à un énorme pain
de sucre cassé en morceaux. Des enfants jouaient sans
joie sur un énorme canon rouillé dont le tube, mâ-
chouillé comme un manche de porte-plume en bois,
pointait vers le ciel, témoignage d'un très ancien ré-
glage de tir. A mes yeux, ce canon, dont la jeunesse
fut sans doute admirable, n'était plus qu'un vestige
de l'An Mille des armes à feu à longue portée. Il
valait tout autant qu'une grande couleuvrine de 16
livres lourdement liée sur son socle de bois.

« Au bord de la mer, des hommes déblayaient les
quais bordés de bateaux morts dont on ne voyait que
les mâts monte-charge et quelquefois les cheminées
bosselées ou crevées. Des jeunes filles cherchaient du
bois à brûler dans les décombres. Elles me dévisa-
gèrent effrontément et se mirent à rire dès que je
les eus dépassées. Elles se payaient royalement ma
tête. Je n'étais plus en âge de faire de l'esprit en
de telles rencontres. Je haussai les épaules et je pour-
suivis mon chemin. La route se mortifiait sous mes
pieds.

« J'atteignis, à petits pas, en fumant ma pipe bourrée
de tabac de jardin, le centre de la ville occupé par
une cathédrale répandue sur le sol en morceaux d'une
tonne. Un espace libre se distinguait à l'entrée d'un
boulevard bordé de poteaux rugueux et déchiquetés :
des corbeaux y tenaient une sorte de congrès. Ils
ressemblaient à des hommes insolents, un peu puri-
tains. Ils ressemblaient aussi à des colonisateurs, à des
proconsuls en deuil, à de sérieux licenciés en droit.

« Ma première pensée fut de leur jeter une pierre. Je sus m'arrêter à temps. Je n'étais pas le plus fort. Et puis la ville morte me fit reculer. Je revins à la Pension Usher où j'aperçus tout de suite Père Barbançon qui regardait le sol derrière son dos, en se tortillant la tête, ce qui le faisait grimacer. »

VII

QUELQUES CARTES D'IDENTITÉ

« Vous allez me poser cette question : « Mais quel
« était votre rôle dans l'organisation de cette Pension
« Usher? » Je peux vous répondre. Mon rôle était
celui d'un second à tout faire, un confident nourri,
couché et blanchi. Père Barbançon ne pouvait vivre
sans confident, et il était nécessaire que ce confident
se situât nettement au-dessous de sa propre condition.
Dans la gamme des couleurs des avachissements, son
confident devait se parer de la nuance la plus pâle,
la plus équivoque, la plus décourageante. Son choix
ne me flattait point. Peut-être avait-il raison de consi-
dérer ma présence derrière son ombre comme un ré-
confort ou une protection. Tout me désignait pour
tenir le rôle de victime dans ce collège de vieux for-
bans usés par des travaux violents et presque toujours malhonnêtes. La Pension Usher abritait des
aventuriers hors d'âge, désormais vaincus, devant un
monde farci de mines à retardement. Ils étaient tels
des nourrissons édentés, animés de cris anxieux et
de délabrements définitifs. Toutes leurs forces tendaient vers la sécurité du biberon quotidien. Encolpe,
que Père Barbançon appelait souvent l'Orgueilleux
Troubadour ou le Nourrisson de Cybèle, fut tou-

jours le plus avide. Il mangeait sans profit. Aussi était-il plus léger, mais moins coloré qu'une bulle de savon au bout d'une paille.

« Par des racontars, évidemment, mais à peu près authentiques, Père Barbançon en savait long sur le passé d'Encolpe, de Grimaut et de Klinius, ces trois crapules exsangues. Ils avaient tous vécu de brigandages dans le cadre étroit et régulier d'un roman policier. Même au point de vue purement romanesque, leur peau flétrie ne valait pas grand-chose. Ils avaient vécu comme de petits commerçants retors, entre le couteau et la mitraillette. Encolpe collectionnait les cicatrices couleur de lilas. Grimaut — qui utilisait la profession de cinéaste pour faire de la contrebande d'armes — ne valait pas mieux. Quant à Klinius, son âme était plus lourde qu'un pistolet chargé.

« A certaines heures de lucidité, je m'arrachais les cheveux, en pensant à ce singulier monde de pantins de feutre dangereux que j'alimentais chaque jour d'une politesse dérisoire et superficielle. « Avez-vous « bien dormi, monsieur Klinius? »

« J'ai toujours vécu parmi des larves de bazar, continua M. Uhle. J'en sais long sur le monde en feutre des pantins. Jusqu'à un certain point qui dépasse l'absurde, j'en fus la victime. Quand j'étais enfant, je ne les commandais point. D'où viennent-ils, où vont-ils? Qui hérite dans cette tribu burlesque et vivante, mais mal articulée?

« Ces personnages exceptionnels ne sont pas nés de la bonne humeur populaire. Ils viennent de plus loin. Que l'on réunisse en congrès tous les fétiches de notre époque dans une île de la Baltique et l'on assistera à un étrange spectacle qui peut devenir solennel si le temps et les rumeurs de l'Europe le permettent.

« Ce que l'on doit reprocher à ces idoles d'une

religion nouvelle qu'on pourrait appeler : la peur de
la mauvaise chance, c'est d'être relativement jeunes
et de n'avoir pas passé de main en main. Les objets
qui ne passent pas de main en main sont à peu
près dénués d'importance et de vie. Ce sont les
maîtres successifs de ces objets qui les enrichissent
de forces secrètes, au service du mal et au service
du bien.

« Quand on achète un pantin destiné à conjurer
le mauvais sort, c'est-à-dire à troubler les jours et les
nuits de celui qui en fait l'acquisition, il faut l'acheter
d'occasion dans une boutique d'objets dont la célé-
brité n'est pas définitivement acquise.

« Une folie de soie rose acquise chez un brocanteur,
une jeune mariée sortie d'un jeu de massacre forain,
grâce à la faillite de l'établissement, ne peuvent se
comparer aux représentants sans avenir de l'innom-
brable et joyeuse famille de Mickey, en trois for-
mats.

« La mariée de la « Zone », celle des jeux de
massacre, a dû naître vers l'année 1888, quand il était
d'usage de donner aux belles danseuses de Paris des
noms grossiers. Pour avoir échoué chez un brocanteur
de la rue Durantin, elle possède une manière d'ani-
mation. Elle luit dans l'ombre comme une chair vivante et soûle. Elle est bonne pour la poésie réglementaire.

« D'autres dieux lares de la même nature gagnent
petit à petit les coins de la bibliothèque et les fau-
teuils. On ne peut plus s'asseoir sans risquer d'en
écraser un. Ces dieux de laine se présentent sous des
aspects d'où la littérature n'est pas exclue.

« Les folies, genre vieille cour d'Allemagne, les
bourreaux atteints d'une fluxion à la joue, les paysans
de la Forêt-Noire, qui ont perdu leur petit mouchoir
à carreaux, les fous sans rois, les nègres décoratifs,

les policemen anecdotiques, le petit monsieur d'Amérique coiffé d'un chapeau gris de haute forme, l'Ecossais en tenue de campagne, le bedeau de Varsovie et le bulldog de Gus Bofa en peau de gant se réunissent chez le collectionneur. Tels qu'ils sont, ils semblent attendre la rafle.

« J'ai rencontré autrefois, sur les grands boulevards de Paris, un homme corpulent et mal réveillé que des agents conduisaient au Dépôt. Il était suivi de tout ce joli monde de son rembourré. Ce cortège, néanmoins, se faufilait entre les taxis et les autobus avec une adresse surprenante. Cette arrestation était d'autant moins motivée qu'elle n'était accompagnée d'aucune musique. L'homme filait silencieusement vers son destin, et tous les petits monstres l'accompagnaient silencieusement. C'est à peine si nous entendions, ceux qui assistaient à cette scène et moi-même, le bruit menu de leurs petits pieds de feutre. Chacun pouvait penser que ce n'était qu'une cavalcade de rats masqués. C'était l'époque des bals masqués où l'on voit des choses surprenantes au sein des familles les plus sérieuses, à la condition toutefois d'être invité. Et ça, c'est une autre affaire.

« Oui, conclut amèrement M. Uhle, ces souvenirs puérils ne pèsent pas lourds mis en présence des expériences de la Pension Usher. Encolpe nous disait : « Je suis né dans un musée de province, j'ai vécu « dans un musée criminel et je mourrai dans un « musée d'Histoire Surnaturelle. » Il avait raison à sa manière. Il était devenu une sorte de pantin en caoutchouc artérioscléreux.

« Si j'insiste en montrant de la bienveillance sur l'aspect invertébré, l'aspect « feutre » des clients de la pension Usher, c'est afin d'expliquer leur fin, dont l'ordonnance se déroula pendant la grande bagarre qui me libéra en partie de leur présence.

« Les trois clients de Père Barbançon et Barbançon
le taulier me dégoûtaient chaque jour un peu plus.
Le décor de la ville morte, l'anonymat émouvant de
ses quelques habitants contribuaient à m'endormir
dans cet enchantement obscur. Je ne vivais plus que
dans l'espoir d'un croc-en-jambe parfait qui m'ai-
derait à pousser vers le néant quatre témoignages
falots de ma propre indignité.

« L'absence de femme dans notre petit domaine
ne me paraissait pas négligeable. Il ne pouvait être
question d'en admettre dans notre caveau de famille.
Cette suppression de l'élément féminin n'en était pas
moins déplorable. Nous n'en parlions jamais. Un soir,
cependant, je rencontrai dans l'escalier M. Grimaut.
Le vieillard montait les marches en soupirant; il tenait
devant lui une petite chandelle allumée dont la
flamme vacillait. M. Grimaut la protégeait dans le
creux de sa main : « C'est Monique », fit-il dans un
souffle. Ce souffle tua net la petite flamme. Alors,
M. Grimaut se mit à gémir. Je le laissai sans conso-
lation, la tête entre ses mains, dans le noir de l'escalier, assis sur la dixième marche. Tout nom de
femme équivalait à un remords.

« Le soleil brillait certains jours sur notre solitude
glacée. Il aidait lentement à la construction d'un
nouveau décor : des baraques surgissaient du sol dans
un élan fragile de coquetterie. Une grue, capable
de soulever la ville morte, allongeait au-dessus de la
mer stagnante son grand bras de démon. Les clients
de la Pension Usher profitaient de ces beaux jours
pour promener leurs ombres dans la lande. Elles
effleuraient de leur présence mutine les genêts nouveaux et la flore naissante des terrains vagues. Dès le
début du printemps, les ombres se dégelèrent, prirent
des forces, de l'autorité. Elles agissaient comme des
chiots, mais des chiots nés pour mordre avec art,

instruits dans tous les secrets professionnels de la mor-
sure considérée comme un sport.

« Quand Père Barbançon, Klinius, Grimaut et Encolpe se promenaient ensemble, leurs quatre ombres
les suivaient en gambadant comme des enfants au
sortir de l'école. Parfois, elles jouaient à changer de
maître. Bien des fois, Père Barbançon rentra à la
Pension Usher suivi de l'ombre d'Encolpe. C'était la
plus vicieuse des cinq ombres, en comptant la mienne.
Ce fut elle qui fut l'instigatrice d'une lutte sournoise,
mais sans répit, qui devait aboutir à la mort de Père
Barbançon et de ses trois compagnons. Je fus, sans
doute, le premier à m'apercevoir de toutes ces mani-
gances parasitaires.

« La nuit venue, Encolpe parlait à son ombre
comme l'empereur Adrien s'entretenait avec celle qui
occupait le quatrième lit. Ce désordre déformait la
vie, notre existence dans ses manifestations les plus
simples. Jeter un os à une ombre, c'est accrocher le
malheur aux talons de son maître.

« J'achevai de ruiner ma santé durant cette année.
Je dormais peu. Les mains sous la nuque et les yeux
grands ouverts, je revivais minutieusement les moindres
incidents de la journée, décortiquant les images et les
mots comme on épluche une noix. Vous me direz :
« Pourquoi ne pas abandonner la Pension Usher à
« sa dangereuse médiocrité? Pourquoi ne pas partir? »
La glu, la glu, monsieur Nicolas; je baignais dans la
glu comme une fourmi dans la confiture. La fin
approchait d'ailleurs « comme un coup de tonnerre
« venu de Chine, à travers la baie ». Une aube se
leva... une aube au point de vue classique, mais, plus
exactement, il y eut un petit jour aigrelet et sinistre. »

VIII

LA MORT DU PÈRE BARBANÇON

« Je n'ai jamais bien compris les raisons et les phénomènes surprenants qui provoquèrent la révolte des ombres. Il faut expliquer cela en estimant la valeur lyrique des heures du jour et de la nuit modifiées inhumainement par l'exceptionnelle gravité des événements. Le surnaturel surgissait des couches profondes et marécageuses de la mémoire. Les iguanodons de dix tonnes, agrémentés d'une cervelle de fauvette, remontaient ahuris et vindicatifs, à la surface des eaux inexplorées. Ils guettaient le signal des prochaines désintégrations de leur pénible matière. Tout au moins, monsieur Nicolas, c'est mon opinion. Elle n'est pas d'une clarté éblouissante, mais je ne sais pas mieux pour tenter d'expliquer la mort de Père Barbançon et celles de Klinius et de Grimaut. A ce propos, je vous confierai que Grimaut n'était pas opérateur de cinéma. Il était capitaine long-courrier et s'appelait Diablois. « Vous avez menti, Uhle », me direz-vous. Ma foi, oui, j'ai menti : c'est la brume qui me pousse à mentir. Je ne vois pas les choses qui vivent et cancanent dans le brouillard. Alors je mens afin de simplifier nos rapports. »

M. Uhle ouvrit les rideaux qui masquaient la lumière de l'aube. Il éteignit l'ampoule électrique, et la blême lumière qui efface peu à peu les images saugrenues des rêves de la nuit, pénétra dans la pièce. M. Uhle s'assit, comme accablé. Il parla encore longtemps. Sa voix monotone coulait comme une petite fuite d'eau intarissable.

« Père Barbançon, moi-même, la tierce et les ombres qui nous suivaient, nous n'étions que des effilochures de brouillard, des loques douteuses arrachées aux linges blêmes de Potron Minet. Oui, monsieur Nicolas, c'est l'aube, l'aube d'un jour mémorable qui a assassiné votre ami Barbançon et les autres, à l'exception de votre serviteur.

« Mais je m'éloigne de mon sujet, de la partie romanesque de mon sujet, dois-je préciser, car tout le secret de cette aventure de police, gît dans le brouillard de cette aube dont j'ai pris connaissance dans *Ulalume*.

« Pour en finir, je me réveillai ce jour-là, vers cinq heures du matin. J'ouvris ma fenêtre et j'aperçus le ciel et son immensité rébarbative au-dessus du paysage que je vous ai déjà décrit et dont le caractère n'est pas près de s'effacer de ma mémoire. Mon attention fut tout de suite éveillée par une rumeur sourde, une rumeur radiophonique qui semblait parvenir de la salle à manger. Des bruits mous assez distincts, mais indéfinissables, dominaient nettement un fond d'imprécations murmurées et de gémissements confus. Je me tenais comme un bloc, l'oreille avide de renseignements. Peu à peu, il me sembla que j'entendais le bruit d'une bagarre, d'une rixe mais d'une rixe entre matelots de laine rembourrée, également une lutte de vieillards féroces, une lutte sans armes et sans pardon. Cela se précisa pour moi sous la forme d'un combat d'éponges ivres d'eau, une collision d'éponges flasques gonflées d'humidité crapuleuse et de cruauté intelligente.

« Je descendis l'escalier pieds nus. La porte de la salle à manger était ouverte. En me penchant sur la rampe de l'escalier, je vis le spectacle dont j'avais deviné le tumulte. Père Barbançon, Klinius et Diablois (nous lui laisserons son véritable nom) se roulaient sur le sol, les yeux hors des orbites. Des lianes d'un gris bleuâtre s'enroulaient autour de leurs cous, de leurs jambes et de leurs bras dans une mêlée qui faisait ressembler l'ensemble à un plat renversé de macaronis en mauvaise farine. Cela ressemblait aussi à une furieuse agression d'ombres révoltées. Et c'était bien cela : les ombres révoltées attaquaient leurs maîtres, les cravataient inexorablement, leur comprimaient le cœur et l'estomac, se nouant et se dénouant pour des prises nouvelles, des nœuds secrets d'une efficacité évidente. La lutte fut longue cependant. Je n'en attendis pas la fin, car, tout d'un coup, l'idée me vint que mon ombre m'accompagnait et que c'était là un dangereux exemple à lui offrir. Je revins dans ma chambre et je m'allongeai sur mon lit, attendant la fin de cette activité fantastique. Tout cela demeurait inexplicable. Pierre Schlemilh ne connut pas une telle aventure pour avoir vendu son ombre au vieux monsieur de cette garden-party assez weimarienne. J'allumai une cigarette et je regardai ma montre : il était sept heures. Le temps s'annonçait bien. Une chaleur bienfaisante me ramena à l'optimisme par bouffées. Quant à la salle à manger, elle me paraissait maintenant délivrée de tous ses bruits monstrueux. En un tournemain, je préparai ma valise et je descendis au rez-de-chaussée. Je vis ce que j'avais déjà imaginé : Père Barbançon, Encolpe, le Capitaine Diablois et M. Klinius étendus côte à côte, blancs comme des fromages frais, et la langue mauve longuement pendante hors de leurs vieilles bouches.

« Ils étaient bien morts tous les quatre : ceci hâta

ma décision. Ma présence dans la Pension Usher pouvait m'attirer toute la série des malheurs légaux. Il m'eût été difficile d'expliquer cette histoire d'ombres assez extravagante.

« La fuite s'imposait. Une réminiscence littéraire vint tout de suite compléter cette décision raisonnable. « Il faut foutre le feu à la Pension Usher », me conseilla mon bon Ange Gardien. Aussitôt dit, aussitôt fait. Je rassemblai dans la salle à manger toutes les matières inflammables que je pus trouver. Et très artistement, de la cave au grenier, je construisis un foyer d'incendie capable de décourager les pompes à feu les plus puissantes. Après quoi, après avoir vidé la contenance de cinquante jerricans, témoignages des goûts innés de Père Barbançon pour le vol, j'attendis la nuit afin de jeter l'allumette libératrice qui anéantirait tous les détails de cette tragédie.

« A minuit exactement, j'accomplis ce geste et sans prendre souci d'emporter ma valise, je gagnai la lande d'où je pus admirer l'apothéose que j'avais voulue.

« Ainsi flamba la Pension Usher. A l'aube, il ne restait plus qu'un tas de cendres anonymes. Soyez certain, maintenant, que nulle magie ne pourra reconstituer la personne de Père Barbançon. Cet homme déplorable doit rejoindre dans l'oubli son ancien partenaire le Capitaine Hartmann. Nous sommes débarrassés l'un et l'autre de deux drôles compromettants. C'est un plaisir de pouvoir l'affirmer, et l'avenir me paraît rempli d'indulgence. Père Barbançon et Capitaine Hartmann font corps avec ces curieuses histoires personnelles dont il est utile de liquider les obsessions qu'elles comportent. D'autres sujets sont à choisir pour alimenter les rêveries du soir, quand chacun, à califourchon sur une chaise, mêle à la généreuse chaleur d'une nuit d'été ses pensées intimes. »

IX

FAUSSE CONCLUSION

Peu de jours après cette confidence, M. Uhle vendit son hôtel meublé et disparut de mes habitudes. Je n'éprouvai aucune peine de ce fait, car sa présence me décourageait. La curiosité seule m'avait rendu attentif aux menus incidents de la chronique de la Pension Usher. La mort de Père Barbançon et la totale destruction de son triste domicile m'annonçaient plutôt la naissance d'une ère nouvelle d'une douceur assez romantique à quoi j'aspirais. La certitude d'être débarrassé de Capitaine Hartmann et de Père Barbançon me rendait ingambe et souriant. Pendant quelques jours, je fus candidat, mais candidat passif, au poste de membre actif dans une société de gymnastique agréablement pourvue de tambours et de clairons, instruments dont l'usage était tombé en désuétude depuis quelques années. Je rajeunissais. Je possédais aux abords de la forêt d'Halatte une petite maison dont la construction remontait à la naissance de Sylvie. Cette demeure tenait sa place avec grâce dans un paysage qui ressemblait plus à une survivance du passé qu'à une authentique chaumière coûteusement remaniée. Dans son rayonnement, tout semblait paisible; les hommes eux-mêmes me paraissaient apaisés.

Je vivais, en perdant bien mon temps, comme un gourmet, loin des divagations de l'Association Barbançon-Uhle, et chacun pouvait s'extasier sans fourberie sur ma bonne mine.

C'est pourquoi, je ne sus offrir qu'une faible résistance aux larves anciennes qui pénétrèrent, sous la forme d'une lettre affranchie d'un timbre britannique, dans ma sérénité si laborieusement acquise. Cette lettre était écrite de la main de M. Uhle, dont je connaissais l'écriture capricieuse.

Elle me reconduisit pieds et poings liés dans ce passé tenace. M. Uhle m'avait menti, encore une fois. Père Barbançon n'était pas mort. Père Barbançon rôdait sur les routes et dans les rues, offrant la goutte aux petites femmes et aux sous-officiers des garnisons anti-atomiques. Je reproduis ce document sans en changer une ligne.

« Cher Monsieur Nicolas,

« J'ai menti. Père Barbançon est vivant, mais je suis sur le point de mourir moi-même, en portant envie à la longévité de ce vieux chameau. Sur la foi du serment, je puis vous assurer que les événements se sont déroulés, cette fois, comme je vais vous le dire. Mais sachez bien qu'avant mon entrée dans cet ancien port de l'Ouest, je n'avais jamais entendu parler de Père Barbançon. Je fis sa connaissance en qualité de client, dernier venu dans la Pension Usher.

« Comme je vous l'ai déjà dit, le port ressemblait à une gigantesque boîte de sucre concassé répandu dans la boue. J'insiste sur cette comparaison qui me plaît. Une grue estropiée tendait vers une allée de baraquements son long bras tordu. C'était un signe. A l'extrémité de la portée de ce geste, une grande

bâtisse de style un peu colonial attirait inexorablement
l'attention des équipages des canots qui accostaient,
au petit bonheur, le long du quai disloqué encore re-
couvert de débris sans personnalité. A cette heure qui
se mêlait au crépuscule de la nuit, j'étais à la re-
cherche d'une chambre d'hôtel et d'un dîner, et, par
association d'idées, d'une profession. Des souvenirs
assez classiques flottaient dans l'air salin. C'est pourquoi j'aperçus tout de suite l'enseigne qui dominait
ce grand bâtiment, hâtivement dressé, cette enseigne
qui lui donnait subitement une autorité indiscutable :
Pension Usher. Mon âme, à ce moment, fut emplie
de cendres et les feuilles des rares platanes me parurent « crispées et mornes ». C'était la nuit « en le
« solitaire octobre de ma plus immémoriale année ».
Il me fallait bien en croire mes yeux. Pension Usher,
Pension Roderick Usher : ces mots, sans me rajeunir
moi-même, rajeunissaient le vieux romantisme dont
les morceaux de marbre se confondaient avec les blocs
de ciment soulevés comme des vagues pétrifiées. A
travers les vitres sans rideaux de l'estaminet, j'aperçus
un gros homme dont le visage pâle était orné d'une
courte barbe florentine. Il rinçait des verres derrière
son comptoir. Un seul client buvait, assis devant une
table, près d'un poêle à sciure de bois. J'ouvris la
porte et la refermai soigneusement pour ne pas perdre
cette chaleur un peu fausse qui produisait cependant
une impression de sécurité. Je m'approchai de l'homme
aux verres et lui fis part de mon désir de loger et de
prendre pension chez lui.

« — Vous êtes sans doute M. Roderick Usher? deman-
« dai-je, ou l'un de ses héritiers?

« — Ni l'un, ni l'autre, fit l'homme à la barbe
« courte. Je me nomme Martin Barbançon, Capitaine
« Martin, si vous aimez mieux. Chez moi, tout le
« monde est un peu capitaine, pour des raisons pu-

« rement littéraires, d'ailleurs. C'est ici une pension
« de famille. Avez-vous des bagages? »

« Et sur ma réponse négative, Capitaine Martin
Barbançon répondit :

« — Tant mieux. Les bagages encombrent les
« chambres. Les bagages que l'on porte dans sa tête
« sont les seuls qui soient tolérables. Je tiens une assu-
« rance contre tous risques que peuvent encourir les
« produits de l'imagination. »

« Depuis dix jours, j'étais l'hôte de la Pension
Usher. J'avais noué des relations amicales avec les
clients de ce paisible abri. Il était situé en marge de
toutes les aventures violentes. Les filles ne le fréquentaient point et ne se mêlaient pas aux divertissements
de l'alcool. Comme l'avait dit justement le Capitaine
Barbançon, on portait son bagage dans sa tête et sa
richesse dépendait de l'imagination de chacun. Cependant, cette assemblée de gens, d'apparence craintive,
n'était point réconfortante. Chacun gardait sa crainte
en soi, comme une cerise son noyau. Les gangsters
qui pouvaient, à la rigueur, fréquenter la Pension
Usher, venaient d'un autre monde, le monde des mots
vieillis, des images tombées en désuétude et des photographies en travail de décomposition. Mon voisin de
palier, le Capitaine Diablois, était sec comme une
feuille morte; un autre pensionnaire, aussi gai qu'un
palimpseste, ressemblait à Encolpe. On l'appelait familièrement dans notre club : l'Orgueilleux Troubadour.
Sans plus d'explication. Personne ne savait pourquoi.
Capitaine Diablois, l'Orgueilleux Troubadour et Capitaine Barbançon tenaient souvent des conciliabules
un peu irritants, trop en marge de ma personne,
cependant courtoise. Un soir, à la suite d'une de ces
conférences puériles, Barbançon (le Capitaine) me
demanda, un peu gêné, mais conciliant :

« — Etes-vous accompagné de votre ombre? »

« Chose curieuse, cette demande ne me parut pas saugrenue. Et c'est sur le même ton enjoué que je répondis :

« — Naturellement, pour qui me prenez-vous?

« — Ici, dans la Pension Roderick Usher, tout le « monde est accompagné de son ombre. »

« Il ajouta :

« — Il y en a d'assez drôles, par exemple, celle du « Capitaine Diablois. Je n'aurais pas confiance en « elle.

« — Pour ma part, répondis-je, j'ai confiance en « mon ombre. Elle m'assiste depuis ma naissance. Elle « est fidèle comme un vieux serviteur dont on ne « retrouve la présence que dans les romans déjà « anciens. »

« Capitaine Barbançon hocha la tête comme un homme qui en sait long sur le comportement des ombres et de leurs maîtres. Et puis, nous en restâmes là sur ce sujet, englués l'un et l'autre dans le pittoresque pâteux de cette pension de célibataires qui sentait le lait bouilli et le tilleul.

« Autant de clients dans la Pension Usher, autant d'ombres que les jeux de lumière accusaient plus ou moins franchement. L'hiver et ses ciels brumeux apparaissaient comme la saison des ombres mortes. En été, les ombres se paraient d'une livrée neuve d'un violet ardent ou d'un bleu lumineux. Elles étaient alors singulièrement agiles. Leur indépendance dépassait les limites de leur velléité. Il ne leur manquait que la parole : c'est ce que me confia mon voisin Encolpe ou l'Orgueilleux Troubadour, un des plus éloquents parmi les hommes vieillots qui se nourrissaient de méditations craintives dans le décor de ce grand port désossé.

« L'Orgueilleux Troubadour buvait un verre de lait en fumant une cigarette pharmaceutique. Son

ombre, gris souris, était jetée à ses pieds et formait
une tache informe et peu serviable. Petit à petit, j'en
étais arrivé à imaginer nos ombres comme des sortes
de domestiques, des valets de chambre extra-plats, des
pellicules de feutre à gages. L'indolence du siècle me
rendait indulgent pour bien des choses dont je m'ex-
pliquais mal l'hostilité ou plus l'indifférence. Par
maintes indiscrétions, je savais que tous les clients
de la Pension Usher étaient de vieux aventuriers sa-
turés d'aventures violentes jusqu'à l'évanouissement à
peu près total de leur ancienne personnalité. Leur
langage devenu sans forme n'utilisait plus le jargon
des expériences souvent immorales et homicides. Les
couleurs de leur vie avaient fondu dans la douce et
fausse chaleur de la Pension Usher. Par contre, leurs
ombres prospéraient. Elles semblaient avoir pompé
toute l'énergie de leurs maîtres. Il ne fallait pas être
sorcier pour comprendre que le goût des mœurs violentes, qui avaient fait de leur maître des hommes
romanesques exceptionnels, était passé en elles. Les
possesseurs d'ombres n'étaient plus que l'ombre d'eux-
mêmes.

« La présence de l'Orgueilleux Troubadour me
donna quelques certitudes sur ce phénomène qui pouvait devenir dangereux pour notre repos de plantes
grasses à peine carnivores. En son âge viril, l'Orgueilleux Troubadour avait fait la contrebande de l'alcool
entre Nassau et quelques petits ports de la Floride. Il
boitait pour avoir reçu le contenu d'un chargeur
entre la hanche et le jarret. Son ombre boitait aussi,
mais plus allégrement...

« — Observez cette vache (le mot me surprit), dit-il
« en montrant son ombre qui semblait se télescoper.
« Une nuit de lune, elle m'étranglera. C'est une vraie
« peau de serpent et l'âme du serpent. »

« Il soupira :

« — A son âge, j'étais comme elle... car l'ombre ne
« vieillit pas. Le temps n'a aucune prise sur les ombres.
« A ce jeu, vous pensez bien, nous sommes fatalement
« vaincus.

« — Autrefois, je lisais des romans d'aventures, dit
« le Capitaine Barbançon, et je contribuais de mon
« mieux à leur donner de la substance par mon propre
« exemple. Aujourd'hui tout cela me semble enfantin...
« Tenez, parlons d'autre chose...

« — Ah! Ah! ricana Capitaine Diablois..., nous
« sommes ivres morts d'action violente. Qu'on me
« presse comme un citron et il en sortira des coups de
« couteau, des rafales de pistolets automatiques, des
« jurons originaux et des noms de filles. Je suis rempli
« de noms de filles comme un calendrier.

« — Citez-en un », fit Capitaine Barbançon.

« Capitaine Diablois plissa les paupières, se prit
le front à deux mains et demeura coi, la bouche ouverte, un peu niaisement.

« Capitaine Barbançon et Encolpe, dit le Troubadour Orgueilleux, firent entendre leur petit rire inhu-
main.

« — Allez demander ça à mon ombre », répondit
enfin le Capitaine Diablois, peut-être vexé!

« Par les baies sans rideaux, j'apercevais la jetée
où les orties poussaient dans le ciment crevassé. Au
loin, sur le fond gris d'ardoise du ciel, au milieu de
la plage déserte, un long canon rouillé pointait vers
le ciel son tube antique. Ce canon ressemblait maintenant à une arbalète, tout au plus à un veuglaire.
Il était d'un autre monde, vieux et inutile. Il ressemblait également au Capitaine Diablois, à Encolpe, au
Capitaine Barbançon, à moi-même sans doute, mais
je préfère ne pas insister sur cette comparaison. Ce
spectacle manquait d'attraits. Je me surpris à bâiller

quand un bruit, familier comme un bruit ancien,
une rumeur de bagarre me ferma les mâchoires. Cela
provenait du jardin : un jardin bien clos, meublé de
dix poiriers en forme de lyre. Il faisait chaud dans
ma chambre : je venais d'allumer le feu. Je pris une
cigarette et j'aperçus mon ombre légère, collée le long
du mur au-dessus de la commode, dont le volume la
contraignait à subir de savantes ondulations. J'étais
peu désireux de connaître l'origine de ce bruit qui
me rappelait franchement les barouds de ma jeunesse,
quand, soldat, je dominais l'Artois, debout sur les
remblais de la voie ferrée à Vimy. J'en savais assez et
mon sac d'expériences était plein, plein comme un
sac d'écus démonétisés. La voix aigre d'Encolpe se fit
entendre :

« — Je te materai, liane perfide! Goémon parjure!
« Apparence ordurière! »

« A n'en pas douter, ces injures s'adressaient à
l'ombre de l'Orgueilleux Troubadour. J'entendis encore un cri de rat qui n'était pas celui d'une ombre.
C'est alors que le Capitaine Barbançon qui, à pas de
loup, avait pénétré dans ma chambre, me dit à l'oreille :

« — Encolpe prend une tourlousine. C'est l'ombre
« d'Encolpe qui lui fout sur la gueule.

« — Capitaine Barbançon, répondis-je, il faut agir,
« rajeunir en un mot, sans quoi nos ombres nourries
« de toutes nos qualités combatives nous traîneront
« à leur guise comme des imbéciles à trois dimensions. »

« Je ne décrirai pas la lutte que nos deux compagnons durent soutenir contre leurs ombres rebelles.
Capitaine Diablois, le premier, fut étranglé par la
sienne qui se roula autour de son cou comme un
cache-nez. Encolpe fut traîtreusement écrasé contre
un mur par son ombre devenue dure comme une
plaque d'acier. Il soupira comme un lapin et mourut.
Leurs ombres rejoignirent probablement le royaume

des ombres sans maîtres, dans les asiles les plus pittoresques de l'aventure métaphysique.

« C'est alors que Capitaine Barbançon me proposa un plan de campagne. Ce n'était point dans ma nature de refuser mon association, car l'ombre de moi-même ne me paraissait point digne de recevoir une dérobade. Ce plan consistait à fuir, à laisser derrière nos semelles les éléments démontables de la Pension Roderick Usher. Nous attendîmes une nuit de pleine lune, afin que nos ombres pussent se présenter bien nettes sur le sol lisse de la route. En vérité, elles étaient belles, longues, facétieuses et amicales. Elles gambadaient autour de nos pas en jouant le joli jeu des ombres dans la lumière virginale de la lune. Avant de disparaître derrière une falaise, nous regardâmes derrière nous et, pour la dernière fois, nous vîmes la Pension Usher silencieuse et déjà perdue dans les brumes d'une conclusion infernale.

« Nous avions dépassé la commune mesure des mélancolies romantiques. Capitaine Barbançon haussa les épaules et changea de main sa petite mallette de cuir. Il la secoua :

« — J'ai là-dedans un rasoir, un morceau de savon « et mon carnet de dépenses. »

« Mes mains étaient libres dans les poches de poitrine de ma canadienne. C'est peut-être ce petit détail qui me donna la décision de rompre des adieux qui menaçaient de se prolonger par veulerie. Je tendis deux doigts au capitaine :

« — Adieu, Capitaine Père Barbançon. »

« Il me serra la main et prit la route qui suivait le bord de la mer. Après avoir hésité un peu, je me dirigeai vers d'autres camarades. Et j'entendis sonner la diane dans une caserne de fusiliers marins.

« Je précédais mon ombre. Au détour d'un sentier, elle bondit joyeusement devant moi. En l'examinant machinalement, je m'aperçus que ce n'était pas mon ombre, mais celle du Capitaine Barbançon. Comme je n'ai jamais eu le sens de la propriété, je continuai mon chemin sans donner d'importance à cette erreur ou à cette substitution.

« Ce récit est l'expression la plus pure de la vérité. Il s'achève avec ma propre fin qui n'est pas une mort fantastique, mais une mort prévue par les manuels de médecine pratique d'un usage courant. Adieu!

« Uhle. »

L'été qui suivit la réception de cette lettre absurde mais peu apaisante, les promeneurs du dimanche choisirent l'élégante vallée où ma demeure était construite pour y passer dans la joie champêtre une journée et une nuit.

Je ne m'associais pas au plaisir des adolescents, des adolescentes et de leurs parents. La certitude que Père Barbançon n'était point mort drapait un voile de crêpe sur les pommiers et les cerisiers en fleur. Une brume de suie s'accrochait aux lilas qui encadraient ma porte en effaçant les parfums les plus suaves du monde des choses, encore une fois refleuri.

Cependant, je ne détestais pas ces jours de fête gais et bruyants. Je m'asseyais au bord de la route, devant ma porte, sur un banc de pierre que j'avais fait placer pour ma commodité. Je vivais ainsi dignement comme un vieil homme en essayant d'enrouler le monde extérieur à la fumée bleue du tabac. J'écoutais avec indulgence le roucoulement des tourterelles et le cri de la pie-grièche qui répondait au loriot, son valet de compagnie. Les jeunes gens ne tentaient plus de m'accabler de mauvais conseils. Il me devenait facile de disposer les promeneurs sur la route comme des figurines dans une des vitrines de ma bibliothèque.

Un dimanche qui participa à la fin de cette histoire, j'étais assis sur mon banc de pierre, convaincu que je devais ressembler à l'oiseau de Minerve, un oiseau classique, mais en terre cuite. La chaleur du soleil, mêlée à une petite brise, évoquait facilement des souvenirs de romances inoubliables et qui résumaient assez bien mes souvenirs de jeunesse, tout au moins les plus tendres. Une fillette de seize ans qui était ma voisine savait toutes les chansons. Elle était aussi sensible et aussi perfectionnée qu'un phonographe. Plus de mille disques pourraient consoler sa vieillesse. Je n'en possédais qu'une dizaine, en français, en anglais, en italien et en castillan. Ils étaient tellement usés qu'ils dérapaient sous l'aiguille et répétaient toujours la même phrase, comme le célèbre et malfaisant corbeau à qui ses parents avaient donné le nom de Never More.

Pour en revenir au bien-être que je goûtais en ce beau jour de juin, je sens encore en écrivant ces lignes le parfum des fleurs nouvelles et j'entends les chants traditionnels des oiseaux de l'Ile-de-France qui s'émerveillaient de la perfection de la lumière solaire. Un vieux tank rouillé, enfoui dans les buissons d'aubépine, au détour de la route, servait de tremplin à des enfants qui jouaient à se faire des bosses. Mes narines étaient devenues aussi sensibles que celles d'un Bleu d'Auvergne. Je pensais que je pourrais somnoler en toute sécurité, quand des cris aigus et des chants jeunes troublèrent le calme rose et or de la campagne. Je ne voyais pas la troupe allègre dont la chanson se confondait avec d'autres menus bruits. Mais cette bande se rapprochait vite. Je la vis apparaître au tournant de la route : jeunes filles en robes blanches, naturellement. Elles étaient couronnées de fleurs comme les fillettes de Paris quand elles sont à la campagne pour peu de temps. Elles me parurent ivres

de l'odeur des fleurs comme des abeilles vêtues de
blanc. Chose surprenante, un homme les précédait,
un gros homme, leur grand-père sans doute, peut-être
leur arrière-grand-père ou Silène fagoté à la mode du
jour. Mais indiscutablement ce gros homme très âgé
ressemblait à un tambour-major en baudruche. Il bon-
dissait comme un ballon très léger et rythmait
les chants en coupant l'air avec une baguette encore
un peu feuillue. Quand la troupe charmante passa
devant moi en soulevant un nuage de poussière pas
désagréable, ô stupeur! je crus bien reconnaître la
silhouette de Père Barbançon telle que je l'avais ima-
ginée.

Il passa devant moi sans me voir, jouant de la
canne comme un freluquet, agressif, goguenard, indestructible. Longtemps, j'entendis les voix pures des
petites Parisiennes, des voix habituées à chanter dans
les carrefours :

> *Père Barbançon, çon, çon, çon, çon...*
> *Paierez-vous la goutte, oui, oui, oui, oui...*
> *Aux sous-officiers de la garnison?*

La locomotive départementale qui devait emporter
cette attraction fleurie sifflait à travers les bois dans
la vallée. J'entendis encore, venue de la gare, une
grande rumeur de voix lointaines. Puis la locomotive
lança son signal aigu : un long panache de fumée
monta vers le ciel. Je le regardai attentivement. Espé-
rais-je y voir danser Père Barbançon, charmant et
léger comme une coquille d'œuf projetée par un jet
d'eau? Le convoi s'éloigna. Depuis ce dimanche, il
ne cessa plus de s'éloigner.

FIN DÉFINITIVE DE BARBANÇON

Je suis revenu dans la vieille maison que j'habite, hiver et été, depuis vingt ans. J'ai retrouvé la trace de mes pas. Mais, en suivant cette piste invisible, il me semble bien poursuivre le fantôme saugrenu de Père Barbançon.

En effet, depuis quelques nuits, une sorte d'ange qui reproduit sa silhouette, épurée par une main vertueuse et qui, de ce fait, ressemble extraordinairement à l'un des célèbres dessins d'Olaf Gulbranssonn, vient troubler mon sommeil. Cet ange trapu et courtaud dont je suis le protégé indocile n'hésite pas à me morigéner quand, allongé dans mon lit, les mains sur les draps, je regarde la fumée de ma cigarette s'envoler vers un ciel sans agrément.

Dire que je ne l'aperçois que depuis quelques nuits me semble un peu exagéré. En vérité, il rôde dans ma vie privée depuis mon adolescence à une époque où je n'avais pas de vie privée. Il était là comme une lugubre vessie de cochon à forme humaine le jour de ma première pipe. Je me promettais du plaisir. Il gâcha tout à tel point que je ne sais plus si le malaise dont je fus victime doit être attribué au tabac ou à la présence de cette angélique baudruche.

Les joies les plus paisibles de mon existence furent toujours amoindries par cet accessoire de cotillon universitaire dont aucune puissance ne pouvait me libérer, car il était fait de ce qu'il y a de plus pur dans l'homme, c'est-à-dire de plus fragile et de moins utilisable. Il se promenait autour de moi comme une sorte de remords préventif et ne disparaissait que la sottise accomplie. Je devenais libre jusqu'à la prochaine. Mon ange devait regagner un domicile céleste dont je n'eus jamais la curiosité de m'informer. Il revient toujours. Sa voix de haut-parleur clandestin se mêle à mon destin dont je ne connais que trop la qualité tragique. Il a des arguments, le bougre, et il le sait d'autant plus qu'il représente la partie la moins indulgente de moi-même. Des circonstances, sur lesquelles il est inutile d'insister, donnent à ses arguments une autorité que je ne peux négliger.

« Nicolas, me dit-il, relisez vos livres si cela n'est pas trop vous demander. Je l'ai fait pour vous. J'ai eu ce triste courage, mon cher Nicolas, dans l'espoir de vous associer à ma douleur et à ma confusion. Je vous accorde que par-ci par-là vous témoigniez d'un certain goût pour la vertu quand elle est discrète. Ceci vous sera compté. Mais comment pouvez-vous demeurer silencieux quand autour de vous les plus authentiques garnements transformés du jour au lendemain en agneaux, célèbrent à l'envi cette vertu lumineuse dont ils contemplaient jadis l'éclat avec une longue-vue transparente comme un pied de tabouret? Je voudrais, ô triste Nicolas, dans ce concert nouveau de voix mal habituées à chanter des chœurs, entendre la vôtre. Dites-vous bien que, si vous voulez vivre, il faudra éduquer : éduquer le combinard qui vend du sucre et du savon, le vaniteux qui plaît aux dames, l'égoïste plus incolore qu'un bouillon de noisettes, l'hypocrite aux cheveux frisés, le couard aux pattes de

mouche, le luxurieux aux yeux de velours et le reste
du défilé. Il vous faudra chercher un lexique nouveau,
des mots que n'auraient su trouver ceux qui furent
vos maîtres en fantaisie. Je crois deviner votre réponse,
mon pauvre Nicolas. Vous me direz que l'art n'est pas
nécessairement éducatif et que Baudelaire, qui fut un
grand poète, ne fut aussi qu'un piètre éducateur.
Vous me direz, peut-être, que l'excès en tout est un
défaut. Cette phrase me plaît, car elle me paraît suffi-
samment incolore pour être éducative. Réfléchissez,
Nicolas, et ne faites pas cette gueule. Ouvrez votre
entendement à des horizons neufs, peuplés de néo-
vertueux dont vous réglerez la cadence. Surtout, n'allez
pas claironner partout qu'un artiste, qu'un poète,
qu'un bon romancier sont aussi nécessaires à la vie,
vertueux ou non, qu'un laboureur ou un maçon; je
serais contraint de vous gourmander sévèrement. Vos
idées sur la fantaisie, cette fantaisie ailée qui, cette
charmante fantaisie que, ne sont sans doute pas la
preuve d'un mauvais naturel. Elles sont simplement
inopportunes et fondantes. Vous n'êtes pas un mauvais garçon, Nicolas, mais vous raisonnez comme un
vieil homme. Cette mortification intellectuelle m'af-
flige. A votre place, j'irais creuser un trou dans l'herbe
de votre clos et je m'y enfoncerais en ne laissant
passer qu'une touffe de cheveux, qui se mêleraient
ainsi à la nature en profitant de la brise qui folâtre
dans les herbes. »

Mon ange soupira, monta vers le ciel et heurta son
apparence de tête contre le plafond de la chambre. Il
redescendit tout aussitôt pour achever ce sermon dont
la substance me maintenait éveillé.

« Nicolas, un bon mouvement. Je vous apporte la
bure et la cendre, et le brouet de Lacédémone dans
une boîte de thon. J'espère vous revoir bientôt, plus
vif, sinon plus alerte : un peu de bonne volonté et

vous écrirez bientôt comme un rapporteur du budget. Avant de m'éloigner pour cette fois, je tiens à vous confier ces quelques lignes qui vous aideront. Il y a là : *Le Décalogue des Piafs,* par Fripon, *Le Sermonnaire des Lèche-culs,* par Couic, et *La Chorégraphie des Hébétés,* par Bobine. Si vous désirez posséder un exemplaire en aluminium du célèbre Dictionnaire des...

— Foutez-moi la paix, répondis-je à mon ange. Voilà plus de vingt minutes que vous me barbez avec vos boniments. Vous feriez mieux de me faire obtenir un « Permis de circuler interplanétaire », ce qui me permettrait de me mêler plus activement à la vie économique et sentimentale de ce temps. »

La dernière apparition de cette céleste saucisse fut parfaitement définitive. Un soir de solitude lucide, un bruit léger transforma ma chambre. Mon inquiétude quotidienne pouvait se nourrir de ces menus grattements un peu magiques. Je pus regarder la porte sans surprise. L'ange était là, vêtu d'une sorte de pyjama paradisiaque et assis sur ma chaise, devant ma table de travail. Il remuait machinalement une plume épointée dans l'encrier où l'encre desséchée du mois de mai dernier tombait en poussière.

« Ah! vous êtes encore ici », dis-je sans plaisir.

Il ne me répondit pas. Il se contenta de hocher la tête d'un air douloureux.

J'étais las, fourbu, émietté par un voyage, confit dans les préoccupations alimentaires qui donnaient à notre époque une coloration qui ressemblait encore, pour le moment, à une mauvaise plaisanterie. On y croyait, sans trop vouloir y croire. Mais l'on rêvait d'un boucher, vêtu de sa petite blouse, qui méditait et se grattait la tête entre un bœuf gras et un pèse-lettre de précision.

Mon ange devait réfléchir à des problèmes écono-

miques de la même veine, car il tourna vers moi sa
longue figure de « pion » béatifié pour prononcer ces
trois mots pleins de fiel :

« Avec les os...

— Que voulez-vous dire, ô céleste Protecteur, avec
ces mots perfides et venimeux? Est-ce ma personne
physique que vous estimez ainsi? Voulez-vous insinuer
que, même « avec les os », ce corps un peu fatigué,
que j'aime tel qu'il est, a singulièrement perdu de
sa valeur marchande, pour parler comme tout le
monde?

— Ne faites pas l'idiot, me dit l'ange sans perdre sa
gravité translucide. Vous savez fort bien de quoi il
retourne puisque, il n'y a pas une minute, vous réci-
tiez par cœur votre table d'alimentation. »

Il se leva et marcha gracieusement vers la porte. Il
l'ouvrit. Et ce fut tout de suite devant nos yeux la
nature pleine d'arbres, d'herbes, de cailloux et de
fleurs attardées. Aussi loin que la vue pouvait porter,
il était impossible d'apercevoir ce que les économistes
appellent : un corps gras. Tout était vert, genre salade
sans huile, ou sec comme de l'amadou ou indigeste
comme le marbre des tombeaux...

Mon ange se développait devant moi, telle l'écharpe
de Sylvie dans les boulingrins d'Ermenonville. Il se
dandinait comme une jolie fumée et souriait en tâtant
le bois mort de sa main surnaturelle. Je crus bon de
ricaner, car l'amertume ne me poussait guère à dis-
cuter l'inévitable. Ce ricanement ne passa pas inaperçu. Le bienheureux gardien de ma paix morale
s'arrêta entre deux baliveaux qui faisaient assez bien
figure de cierges, et, d'une voix douce et prenante,
il m'en donna pour mon argent.

« Nicolas, assez de sous-entendus goguenards. Les
restrictions ne valent que si elles ne sont pas mentales. Faites bien attention, Nicolas, à ce que je vous

dis, car si vous ne m'écoutez pas, il vous en cuira avant peu. »

Je dois l'avouer, le salopard me ficha la venette. Le ton de sa voix, l'époque, un paysage totalement privé de matières grasses, tout concourait à me ramener vers ces pensées inquiètes et chagrines qui sont souvent mon lot, comme ceux qui me font l'amitié de me lire ont pu le constater. Dès lors, je me sentis privé de ce que les optimistes désignent sous le nom de libre arbitre. Mon cochon d'ange gardien me dominait de toute la férocité de sa vertu. Il me conduisait comme un agneau orné d'une faveur au cou et m'imposait sans parler les rudiments coriaces de sa sagesse. Par un phénomène assez commun de transmission de la pensée, il me communiquait sa propre vision du paysage qui nous encadrait : les dernières roses venues de Provins se muaient en choux de Bruxelles; les arbres, terrorisés sans doute par la présence de mon mentor, suaient de la graisse et les moutons qui paissaient au bord de la rivière sentaient leurs gigots se sacrifier pour l'intérêt général. Les prairies et les bois n'étaient plus peuplés que de quadrupèdes et d'oiseaux sans os. Cet étrange sacrifice de la faune et de la flore s'accomplissait sans gémissements inutiles et sans discussions trop abstraites. Toutes les bêtes du grand collège de l'Alimentation avaient pris à cœur leur mission.

« Trois cent soixante livres », « sans os », bêlaient les moutons. Les bœufs les approuvaient et les gorets aussi, naturellement. Eh bien! ce spectacle abominable et angélique me dégoûta jusqu'à la confusion. D'un geste machinal, j'allumai ma pipe, sans plus m'occuper de mon ange, et je revins dans ma demeure. J'entrai dans la cuisine où l'eau pour la soupe du soir cuisait sur le feu.

Je ne pus réprimer un soupir dont j'entendis, tout

aussitôt, l'écho surprenant. Je me retournai d'un bond
et j'aperçus mon ange. Je reconnus sans surprise Père
Barbançon. Son attitude, de la tête aux pieds, sentait
le sermon à plein nez, le sermon impitoyable qui laisse
le pécheur le plus obstiné sans consistance et sans
voix.

La colère, cette mauvaise conseillère, pénétra en
moi, comme une lame de fond. Je pris Barbançon à
la gorge et le jetai dans le pot-au-feu. Quelle affreuse
soupe! Il était sans os naturellement, et sans chair.
Je bus un peu de cette décoction criminelle : cela
sentait l'encre d'imprimerie, le vieux collège, la graisse
de radis, la bobèche neuve et la lanterne d'égout.

Ce meurtre bienfaisant calma cette hypocondrie
légèrement agressive qui avait dominé bien des nuits
et des jours de mon existence. Père Barbançon mort
me libéra de quelques soucis. Un peu par recon-
naissance, j'ai placé son tombeau à côté de ceux de
Capitaine Hartmann et de Lia. En accomplissant ce
geste homicide, mais purement littéraire, il m'a semblé
que tout était bien terminé pour moi et que je pourrais dormir tranquille... entre trois heures et sept
heures du matin. C'est un moment de la nuit et de
l'aube propice à l'anéantissement. Les règlements de
comptes nocturnes, qui ne sont que des énumérations
stériles d'expériences anciennes, s'effacent naturellement
dans ce paysage inexploré qu'est le sommeil lourd.

Ceux qui dorment d'un sommeil de brute ne sont
pas élégants. Ce sommeil est aussi peu lyrique que possible. Il est comparable à la mort qui, malgré qu'on
en ait, est un vilain phénomène et un mot dégoûtant.

ÉPILOGUE

I

UNE incertitude désagréable ne cesse de me tourmenter
depuis la disparition à peu près définitive de Père
Barbançon. Ses sous-produits suivirent le cortège funèbre et le vent balaya le tout dans un tourbillon de
papiers morts.

Me suis-je trompé sur les dernières circonstances
qui donnèrent à la mort de ce fragile et tenace pantin
de feutre, solidement cousu, une apparence d'authenticité bienfaisante? Je ne suis pas loin du doute et
mon repos s'en trouve légèrement amoindri. Père Barbançon, au moment que j'écris, montre son image en
filigrane dans toutes les pâtes à papier dont je me sers.
Vu en transparence, assez semblable à un homme de
mer rendu spongieux par des siècles de navigation,
il est assis, méditatif, sournois, prêt à se mêler de tout
ce qui ne le regarde point.

C'est un intrus rembourré de sciure de cyprès, un
trublion interplanétaire, un ludion de bouteille à la
mer, une trop tardive révélation de rollings pins,
malheureusement pas très anciens. On sait que ces
jolis tubes de verre ou de terre peints servaient aux
marins d'enveloppes pour des messages confidentiels
qu'ils confiaient à la bonne volonté de l'administra-

tion des flots et marées. Père Barbançon, très averti des choses de la marine en bois et en bouteilles, dut utiliser ces objets, assez enclin qu'il était à livrer ses confidences à la bonne volonté des quatre éléments.

Je ne serais pas éloigné de penser que Père Barbançon choisit un rolling pin de taille congrue pour s'y clore et se livrer à l'hospitalité d'un océan quelconque : ce qui enlèverait toute authenticité au personnage de feutre que je garde chez moi et qui m'apparaît, maintenant, comme un malentendu jovial et, si l'on veut, amusant.

II

Je n'ai pas entièrement révélé ce que je sais sur la personnalité de Père Barbançon.

Quand il agissait, dans une période de prospérité, Père Barbançon se montrait volontiers pédant et solennel. En plus, on peut dire de lui qu'il appartenait à cette catégorie de gens qu'au temps de Molière on appelait des opiniâtres. Faire l'opiniâtre semblait un jeu pour Barbançon. Je l'imagine très bien, vêtu comme un ministre pour suivre son propre enterrement ou refusant tout net de participer à cette cérémonie sanitaire. N'est-ce pas à Bruges en 19... que j'avais entrevu dans la cour verte et grise du béguinage, le vieux drôle allégrement suspendu à la corde de la cloche qui commandait les offices? C'est une preuve de sa passagère amabilité. Selon son humeur, il prenait les brancards d'une charrette trop chargée ou portait le filet à provisions d'une servante en sueur.

Je ne fais point d'efforts pour reconstituer Barbançon dit : le Père, dans un costume de cérémonie, évidemment emprunté, agrémenté d'une décoration multicolore quand il se joignait à la famille, derrière sa propre dépouille mortelle.

Je sais bien que tout homme en bonne santé meurt quatre fois. Il y a la mort de l'enfant, celle de l'adolescent, celle de l'homme mûr et celle du vieillard. Seule la dernière compte pour quatre.

Le Père Barbançon fut un grand collectionneur de morts diverses. Il se survivait afin de prolonger ce goût inné qu'il éprouvait pour harceler ses contemporains. Il me paraît impossible d'écrire l'oraison funèbre d'un tel homme, à moins d'y consacrer sa propre vie. Et il ne peut être question de sacrifier son existence à cette besogne peu rémunératrice.

III

Cette petite maison, entre Mobile et Galveston, dont parle Guillaume Apollinaire dans un de ses poèmes, peut très bien servir de cadre à la fin logique et à peu près morale de notre aventurier. C'est dans une sorte de hangar à charbon, meublé de quelques pelles et d'un tonneau défoncé, que Père Barbançon put prendre son élan vers l'éternité, ce que Malherbe résume ainsi : égaler sa fortune à l'immortalité.

En dépit de l'abus que l'on fit, ces derniers temps, des cow-boys dans le lyrisme du pittoresque social, il me paraît difficile de ne pas signaler la présence de quelques-uns de ces garçons, justiciers de cavalerie, à la porte fleurie de roses, de cette chambre mortuaire.

La pendaison de Père Barbançon donnerait à ces mémoires la conclusion morale qui semble faire défaut, en dernière lecture. Ce n'est pas tant pour le principe, qui est discutable, que pour la pendaison, qui a fait ses preuves. Ce n'est pas non plus avec une triste ficelle en papier roulé que l'on peut obtenir ce résultat.

A l'époque où Barbançon vivait, les cordes étaient de qualité et le soleil qui pénétrait dans ce taudis dramatique, en ce coin ignoré du Texas, pouvait encore éclairer de très petits faits comme la pendaison de ce cavalier de l'Apocalypse dans la traduction insinuante en usage chez les collectionneurs d'inquiétudes.

La difficulté fut sans doute d'estimer à quel titre le Padre Barbançon serait pendu. Comme vaurien? Comme professeur d'hypocrisie transcendantale? A titre universitaire? En qualité de faux visage? Comme traître à régime constant? En souvenir de Bambù et de sa clique? En hommage à je ne sais quel esprit de justice, un peu confus?... Quelle histoire!

IV

A différentes époques de ma vie — mais revêtu cette fois d'une cuirasse en tweed et sur mesure — j'ai revu les paysages variés qui servirent d'ornement à l'activité inlassable de Père Barbançon. Ce vieux voltigeait entre les nuages. Il semblait flotter dans le ciel comme un ancien ballon captif devenu indépendant grâce à la rupture de son contrat avec le sol. La légèreté céleste de Barbançon, peu en rapport avec son poids, ne surprenait pas. Son destin, dans les sphères accessibles à la métaphysique aérostatique, était volage, badin, irrésolu, capricieux, innocent. Détaché de la grappe de ballons de couleurs dont les enfants se divertissent, il en possédait cette obésité légère que l'on peut admirer sans effort au bout d'une ficelle indulgente. Ceux qui confondent les ballons rouges en baudruche avec les âmes en vol vers le purgatoire

ne sont pas si démunis de ressources. Les âmes rebondissent au moindre choc du doigt de Dieu.

Quant aux âmes lourdes, celles qui ne rebondissent
pas au moindre choc, parmi ceux du domaine divin,
elles deviennent les boulets de fer froid qui permettent
de river les forçats à leurs habitudes. En dehors de
toute théologie, si ce n'est celle des bagnes, on les
appelle alors des manicles, c'est-à-dire en langage qui
est celui de l'argot des malfaiteurs, le bracelet de fer
qui retient la chaîne rivée au boulet; sans quoi le
boulet ne serait rien.

J'ai souvent vu Père Barbançon traîner la jambe
comme un ancien porteur de manicles. C'est ce souvenir, que Vidocq m'aida à définir, qui me donna
l'impression de la très grande légèreté de l'âme de
Barbançon dont l'inconsistance ne cessa de s'imposer
dans des exercices de préparation à l'expérience définitive.

v

Et c'est ainsi qu'en subissant les fantaisies d'une
mélancolie progressive, on obtient la dernière image
qui doit clore cette série d'oraisons funèbres. Tel,
celui qui a souffert, peut-être à son insu, voici Père
Barbançon sur son lit de mort. Son visage reposé ne
livre plus rien de pittoresque. C'est le visage apaisé,
lisse comme une page neuve, au début de ce qui sera
peut-être un livre.

Père Barbançon est réduit au dénominateur commun.
C'est un détail quelconque de la vie sociale. Il
est à l'abri de toutes les vengeances et peut dormir
sans se laisser tourmenter par le bruit des pas dans
un escalier qui s'ouvre dans l'ombre de son activité
nocturne. Dans le sommeil, dur comme le marbre,

s'anéantissent pour toujours les agréments romantiques de la vie d'un coquin.

Le triste individu a cédé la place. Et les aventures dont il fut le créateur ne sont plus désormais celles de Père Barbançon, cet ancien vivant devenu un mort authentique contre son gré. Ainsi l'animateur, souvent imaginaire, de cette chronique rejoint, avec le mot fin qui ferme à clef le dernier chapitre, la signorina Bambù et le capitaine Hartmann qui, lui aussi, cherchait à garantir la paix de son dernier sommeil. Comme il fut dit dans la première partie de ces souvenirs.

1948.

TABLE

FILLES ET PORTS D'EUROPE

PÈRE BARBANÇON

BRODARD ET TAUPIN — IMPRIMEUR - RELIEUR
Paris-Coulommiers. — Imprimé en France.
06.831-7 - Dépôt légal n° 5704, 3ᵉ trimestre 1966.
LE LIVRE DE POCHE - 4, rue de Galliéra, Paris.
30 - 11 - 1720 - 01